園遊会にて。左からGHQ高官夫妻、次郎、吉田茂

英国渡航直前の次郎と家族(左から枝子、福子、よし子、次郎、三子、尚蔵)

ペイジ・グレンブルックに乗る中学時代の次郎(運転席)

講談社文庫

# 白洲次郎　占領を背負った男(上)

北 康利

講談社

目次〈上巻〉

目次〈下巻〉

# 白洲次郎　占領を背負った男（上）

北　康利

# 稀代の目利き

朝霧《あさぎり》の乳白色が生まれたての太陽を優しく包みこみ、歩くと霧吹きで顔を吹かれたようになる爽やかな朝である。

河上は田圃《たんぼ》の中の道を歩きながら新鮮な空気を肺腑《はいふ》いっぱいに吸い込んだ。河上徹《かわかみてつ》太郎《たろう》——文芸評論家である。ここではそれだけにとどめておく。物書《ものか》きの常として時間の観念が薄い。この日も徹夜明けの頭を冷やすため、自宅のある神奈川県川崎市の柿生《かきお》から山一つ越えて鶴川《つるかわ》にある友人の家へと向かう途中であった。

新宿からの始発らしい小田急線の電車の音が、丘の向こうからかすかに聞こえてくる。東京郊外の町田市鶴川は今でこそすっかり住宅地になってしまったが、昭和三十年代はまだ武蔵野《むさしの》の面影《おもかげ》を色濃く残していた。猟銃片手の山歩きが趣味である彼にとって、それはお決まりの散歩道である。

少し前を、ショールを肩にかけ洒落《しゃれ》た格好をした初老の女性が歩いている。鶴川駅からの道を出てきたところからすると、さきほどの始発電車を降りてきたに違いない。年甲斐《としがい》もなく一晩中飲み歩いての朝帰りだということは、そのけだるい歩き方からもそれと知れた。ほかでもない、河上が今訪ねようとしている友人の奥さんである。

（正子《まさこ》じゃないか。こんな時間に……。ははあ、また夜通し青山たちのからみ酒につき合わされたな）

さっさと歩けば追いつくものを、河上はちょっとした気まぐれでわざと距離を置いて歩いていた。さらに一二～一三分ほども田舎道《いなかみち》を進むと、やがて前方の山懐《やまふところ》に百姓家《ひやくしょうや》が見えてきた。主人が、朝早くから家のまわりの草むしりに精を出している。

（いたいた、相変わらず早くから起きているな）

目指す友人を視界に捕らえたとき、河上はふいに足を止めた。子供っぽい考えが浮かんだのだ。しばらく遠くから眺めていたくなったのである。

茅葺《かやぶき》屋根が周囲の景色に溶け込んで実にいい味わいを醸《かも》し出している。入り口にある柿の木の枝ぶりも見事だ。早起きにはいろいろなタイプがあるが、この男の場合、その日一日の始まるのがまどろっこしくて堪《たま》らず起きてくる、そんな感じであった。

（こうして見るとタヌキが百姓に化けてるみたいだな、いやキツネか……）

そう思うと急に可笑《おか》しくなった。主人のいでたちがどうにもこの百姓家とは不釣り合いなのである。

五十代も半ばの男性にしては珍しく、背は一八〇センチほどもある。やけに姿勢がよく、日本人離れして足が長い。軽くウェーブがかかった白髪はまさにロマンスグレイという言葉がぴったりで、横顔もまるで西洋人のように彫《ほ》りが深く整っている。ただの百姓でないことは幼い子供でもそれと知れた。そもそも格好からして妙だ。長靴を履《は》いているのはいいとして、やたら目立つカーキ色のつなぎを着ている。似合わないと言っているのではない。いやむしろ、それは素敵に似合っているのだが、そんな格好をした百姓は全国どこを探してもいないだろうことだけは断言できた。

夫人は家に続く坂道をゆっくりと上がっていく。ふたりの距離は縮まっていった。

(おっと、派手な夫婦喧嘩《ふうふげんか》が始まりそうだな)

河上が、面白くなってきたとばかりに少しにやっとしたそのとき、主人は彼女に気がついて顔を上げた。すると、

「あら、おはよう」

拍子抜けするようなとびきりの笑顔で明るく声をかけると、何事もなかったかのようにそのまま野良仕事へと戻っていった。

（こいつらだけは未だによくわからんなあ……）

河上が思わず苦笑いした不可解な夫婦——それが白洲次郎《しらすじろう》と正子であった。気を取り直して坂道を上がってきた河上を、白洲はさっきと同じような素敵な笑顔で、

「ようテッツァン、おはよう」

と軽く片手を挙げて出迎えてくれた。

白洲と河上は旧制中学の同級生である。かつて河上が空襲で五反田の家を焼け出されたとき、食糧難の時代であったにもかかわらず、白洲は二年間もこの鶴川の家に食事つきで住まわせてくれた。河上はそれをずっと恩義に感じており、ひと山向こうの柿生に引っ越していったあともこうしてときどき顔を出していたのだ。


白洲次郎の名は知らずとも、エッセイスト白洲正子の名を知る人は多いのではなかろうか。

わが国では古来〝数奇者《すきもの》〟というのは、功なり名を遂げた好々爺《こうこうや》の特権とされてきた。彼女は伝統を愛しつつもそうした旧習を破壊した勇気ある女性であり、女性特有の繊細な感性で日本の美を追求し続けた〝美の狩人《かりゅうど》〟である。相当つらい思いもしたらしい。〝有閑《ゆうかん》マダムの物好きだ〟といった誹《そし》りを受け、悔し涙を流したこともあ

ったが、当代随一の目利《めき》き青山二郎を中心とする集まり（〝青山学院〟と呼ばれた）に日参して研鑽《けんさん》を積んだ。

〈いつかジイちゃん（筆者注：青山二郎《あおやまじろう》のこと）を出しぬいてやろうと思い、一人歩きをして、気に入ったものを買い、自慢してみせると、「フン、これは昨日僕が売ったものだ」そういうことが何回もあった。その度に私はがっかりしたが、不思議なことに骨董というものは、そう見当違いの所を歩き廻らないようで、わずか四、五人、多くて十人くらいの数奇者の間をめぐっている〉（白洲正子『遊鬼』「何者でもない人生　青山二郎」）

という常人には計り知れない世界である。夜は夜で、その青山や小林秀雄《こばやしひでお》（文芸評論家）にぼろくそに言われ、何度も泣かされながら、彼らのからみ酒に朝までつき合うことで審美眼を鍛えられていった。

文壇一の酒豪と自他ともに認める河上も、青山、小林とは三点セットと呼んでいいほどに仲がよかった。何のことはない、彼もまた、しばしばこのからみ酒に参加していた常連だったのだ。正子が物書きの何たるかを身につけていったのは、実にこの河上と小林のおかげであった。

努力の甲斐《かい》あってやがて正子の目利きとしての才能は開花し、そのたぐい稀《まれ》なる文才もあずかって情緒溢《あふ》れるエッセイとして結実していく。『明恵上人《みようえしようにん》』『十一面観音巡礼』『世阿弥《ぜあみ》』『日本のたくみ』『西行《さいぎよう》』『両性具有《りようせいぐゆう》の美』等々、彼女の作品に触れると、実に心豊かで優しい気持ちになり、この国に住んでいることの喜びをかみ締めることができる。すでに本人は鬼籍《きせき》に入っているにもかかわらず、その人気は衰えることを知らない。

稀代《きだい》の目利きに成長した白洲正子の眼力は人物にも向けられていた。人間観察の鋭さはその作品からも明々《あかあか》と立ち上ってくる。では彼女が伴侶《はんりよ》として選んだ白洲次郎という男はどうだったのか。

彼は吉田茂《よしだしげる》に見込まれ、戦後、日本復興の推進役として辣腕《らつわん》を振るった人物である。〝プリンシプル〟（生き方の大原則）を大事にし、筋の通らない話には相手が誰であろうと一歩も引かなかった。正子は次郎のことを「直情一徹の士《さむらい》」、「乱世に生き甲斐を感じるような野人」と評している。

エピソードには事欠かない。

日本政府を代表してGHQとの交渉窓口を任されていたときのこと、昭和天皇からのクリスマスプレゼントをマッカーサーのところへ持参したことがあった。すでに机

の上には贈り物が堆《うずたか》く積まれている。そこでマッカーサーは、

「そのあたりにでも置いておいてくれ」

と絨毯《じゅうたん》の上を指差した。

そのとたん白洲は血相を変え、

「いやしくもかつて日本の統治者であった者からの贈り物を、その辺に置けとは何事ですかっ！」

と叱《しか》り飛ばし、贈り物を持って帰ろうとした。さすがのマッカーサーもあわてて謝り、新たにテーブルを用意させたという。

——戦争には負けたけれども奴隷になったわけではない。

それが彼の口癖だった。日本人離れした体軀《たいく》と英国流のダンディズムを身につけていた彼は、アメリカ人と相対《あいたい》しても位負《くらいま》けするどころかむしろ相手が威圧感を感じるほど。英国仕込みの語学力を武器にGHQ高官とも堂々とわたりあった。

圭角《けいかく》のある人物としても知られ、〝うるさ方《がた》〟として音に聞こえた存在であった。

まず威嚇《いかく》して、相手の反応でその人間の大きさを量るという悪い癖があって、初対面の相手はそれだけで震え上がった。青山二郎はそんな次郎に、〝メトロのライオン〟というあだ名をつけている。映画会社のメトロ・ゴールドウィン・メイヤー社は

トレードマークがライオンで、映画の冒頭必ずライオンが現れウォー、ウォーと吼《ほ》える。これと同じだというのである。言いえて妙であった。

もっとも家庭では冒頭紹介したように温厚そのもの。めったに怒鳴ったりはせず、夫婦仲はすこぶるよかった。正子の活動にもまったく干渉せず、相手の人格を尊重し、そこは自己責任だと割り切っていた。

いろいろな顔をもつ白洲次郎という男、稀代の目利きが生涯の伴侶に選んだこの人物が、本書の主人公である。

## 育ちのいい生粋の野蛮人

白洲次郎は明治三五年（一九〇二年）二月一七日、兵庫県武庫《むこ》郡精道《せいどう》村（現在の兵庫県芦屋《あしや》市）において、父・文平《ふみひら》、母・よし子の次男として生を享《う》けた。昭和天皇生誕の翌年のことである。

明治七年（一八七四年）、大阪・神戸間に鉄道が開通すると、大阪の豪商たちは競うようにして住吉や御影《みかげ》に広壮な邸宅を建設し始めた。少し開発の遅れた芦屋には、次郎が生まれたころはまだ省線電車（現在のJR）の駅はなく、西宮か住吉駅で降りて人力車に乗らねばならなかったくらいで、のどかな田園風景が広がっていた。

二男三女の五人兄弟である。兄・尚蔵《しょうぞう》は五歳上、姉・枝子《えだこ》は三歳上、そのほかに二歳下の妹・福子《ふくこ》と九歳下の妹・三子《さんこ》がいた。白洲家は三田《さんだ》藩（兵庫県三田市）において代々儒官を務めた家柄で、次郎の祖父・退蔵《たいぞう》は大参事《だいさんじ》（家老職）に抜擢されたほどの名家である。

産声《うぶごえ》をあげたときはみな多少の器量の差こそあれ大差ないものであるが、彼の場合、生まれ落ちた家庭がすでに凡人とは相当違っていた。彼の生家は〝芦屋〟という言葉から人々が連想するとおりの、いやそれ以上の大富豪であった。〝恒産《こうさん》なくして恒心《こうしん》なし〟という言葉がある。この言葉だけですべてが語られるほど人生は単純でもないが、現実にはけっこう人生の重要な一面を示唆《しさ》していたりするから始末が悪い。

母・よし子は色白で評判の美人。おしとやかで心優しい女性であった。当時の既婚女性の多くがそうであったように彼女も頭は丸髷《まるまげ》。着物姿がよく似合い、匂い立つような気品があった。だが上流階級の出身というわけではなく、父・文平が小田原にふらり立ち寄った際に見初《みそ》めてそのまま連れ帰った女性らしい。若いころ、文平は厳格な退蔵に反発していたというから、これもそうした行動の一つだったのだろう。親としては面白くなかったようで、次郎が幼いころまだ存命だった祖母・銈子《そうこ》（退蔵の後妻）は、姑《しゅうとめ》としてよし子に厳しく接していたという。

次郎は母親似だ。兄弟姉妹の中で誰よりも顔立ちがよし子に似ている。なかでも目から鼻筋にかけてのあたりはそっくりである。だからということでもなかろうが、次郎は母親の愛をことのほか強く感じながら育った。幼いころは身体が弱く何度も大病に罹《かか》って死の淵をさまよったが、その都度《つど》、母・よし子の献身的な看病のおかげで生命の危機を乗り越えた。後年そのことを思い出すたびに感謝の思いで胸がいっぱいになったという。

彼は雑誌のインタビューの中で、

——世の中でいちばん好きで、いちばん尊敬しているのは母だ。

と照れることなく語っている。彼は世評というものに対して徹底して神経が鈍麻《どんま》していた人物である。〝マザコン〟だと後ろ指をさされるかもしれないなどということは、くだらなさすぎて頭の中をよぎりさえしなかったろう。好きなものは好きなのである。襁褓《むつき》の臭いと乳の臭いが混じりあったような懐かしさ——母・よし子の存在は次郎の心の支えであった。

一方の父・文平は、大正から昭和初期にかけて綿花貿易で大成功を収めた実業家。留学生活が長かったこともあって考え方や行動も万事欧米流であった上威勢がよく、若いころは〝仕込み杖を持って肩で風を切って闊歩《かっぽ》するような〟青年であった。身体も日本人離れしており、次郎の背が高かったのは文平に似たためである。

商売が忙しかっただろうからさぞかし父親の愛情薄く育ったのだろうと思われるかもしれないが、むしろ逆であり、文平はあたかも動物の親が子供を舐《な》めて慈《いつくし》むようにして愛情を注いだ。自分が家にいるとき、次郎が学校から帰ってくるのが遅いというだけでイライラし、そうした顔を周囲に見られたくなくて檻《おり》の中の猛獣のように家の中を歩きまわる。帰宅すればしたで我慢した分だけ癇癪《かんしゃく》を起こすのだから始末におえない。そうした愛情過多なところが次郎には疎《うと》ましかったのだが、後年の彼はそんな父親そっくりになるのだから皮肉なものである。

文平は花柳界《かりゅうかい》に出入りして毎晩派手に遊び、当然妾《めかけ》を囲っていた。詳しくはわからないが、次郎には母親の違う弟や妹もいたようだ。

父親を嫌ったもうひとつの理由は、長じてよし子から聞かされた名前の一件にあった。次郎が生まれたとき、

「名前はわしが考える」

と高らかに宣言したのはいいのだが、待てど暮らせどいっこうに考えている様子がない。よし子が気になって催促しても、

「うるさい、わかっとる！」

の一点張り、ついに村役場に届け出ないといけない日がきた文平は、

「よし、まあ次男なんやから次郎でええやろ」

と投げやりに名前を決めてしまったのである。三女が〝三子《さんこ》〟だというのも同様であったらしい。いい加減なことこの上ない。

次郎は、兄・尚蔵のことをたいへん慕っていた。五歳上のこの兄は、次郎が足に肉刺《まめ》ができて痛がっていると、黙っておんぶしてくれるような心優しい人であった。勉強もでき、性格も温和で白洲家自慢の総領息子であった。

人は皆次郎に優しかった。家の近所に『中現長《なかげんちょう》』という鰻屋《うなぎや》があり、湯木やゑという男勝りの美人女将《おかみ》がいたが、彼女も次郎のことをたいへんに可愛がってくれた。息子の貞一《ていいち》は次郎の一つ年上である。自分の子供と年が近かったこともあったのだろう、幼い次郎のことを「坊《ぼ》ん」と呼んで他人とは思えない愛情を注いでくれた。おいしい鰻を食べさせてくれただけでなく、病気をしたときには、しばしばよし子に代わって何日も看病してくれたことがあった。長じてからもそうだが、人に愛されるという美徳は彼の天性のものである。

当時の芦屋にあった唯一の小学校が精道小学校。児童数二〇〇名足らずの小さな小学校だ。高学年になると、身体が弱かったなどとは想像だにできないやんちゃ坊主へと成長していく。近所の母親たちが「次郎ちゃんとは遊んじゃダメよ」と、わざわざ子供に言って聞かすほどだったその中で、哀れ子分にされていたのが馬淵威雄《まぶちたけお》という四つほど下の下級生であった。

家が少し離れていたので彼らは電車通学していた。精道小学校は阪神芦屋駅のすぐそばにあったが、そもそも当時芦屋に駅があったのは阪神電車だけ。ちなみに省線芦屋駅ができたのは大正二年、阪急は大正九年である。当時の阪神電車は一両だけのチンチン電車。さしてスピードが出ないのをいいことにして、次郎は家が近づくといつも途中で飛び降りていた。後年の気短《きみじか》の萌芽《ほうが》がすでにみえる。ところが馬淵はまだ小さいので恐くて飛べない。

「タケオっ、それ今だ！」

嫌がる馬淵を後ろから蹴飛ばすようにして飛ばせるのが常だった。馬淵はそれがいやでそうっとひとりで帰ろうとしたところ、校門を出たところで、

「タケオっ、遅いぞっ！」

と大声が飛んできた。声の主は振り返らずともわかる。次郎が校門で待っていたのだ。

では馬淵は気の弱い大人に育ったかというとさにあらず、戦後世を騒がせた〝東宝争議〟と呼ばれる労使対立を収拾するため、東宝の社長がスカウトした敏腕の役員が馬淵だった。その後彼は東宝の会長に就任。一方同じ東宝系列の東宝東和という洋画輸入配給会社の社長に就任したのが次郎の長男・春正《はるまさ》である。春正はしばしば馬淵と

顔を合わせたが、そのたびに、

「お前の親父は本当にひどいヤツだった」

と恨み節を聞かされて閉口したという。

芦屋の次に移り住んだのが、芦屋の少し北に位置する川辺郡伊丹《いたみ》町北村二五六番地（現在の兵庫県伊丹市春日丘四丁目五〇番地付近）である。この家がまた半端ではない。敷地はなんと四万坪もあり、その中には美術館があって雪舟や狩野派、土佐派などの日本画、コロー、モネ、マティスといった洋画、後藤派などの彫金《ちょうきん》細工や清朝《しんちょう》の壺などが何百点と収蔵されていた。また牡丹《ぼたん》畑もあり、まさに贅《ぜい》の限りを尽くした大豪邸であった。高台に建っていたことからはるか遠くまで見晴るかすことができ、さながら城主のような心持ちになった。

昭和四年頃撮影された航空写真を見せてもらったことがある。不鮮明ではあったが、白洲邸が写っている。優に学校ほどもある広さであることが見てとれた。とりわけ驚いたのは、そこに大きな給水塔が建っていたことである。給水塔のある屋敷など聞いたことがない。この給水塔はつたに絡まったまま昭和五〇年代まで残っていたらしい。現在屋敷跡は、自衛隊伊丹駐屯地の幹部宿舎や個人宅などになっている。

何不自由ない暮らしの中、両親の愛を一身に受けて次郎はまっすぐに育っていき、全国屈指の名門校第一神戸中学（略称神戸一中、現在の県立神戸高校）に進学する。

次郎はなかなかこの学校になじめなかった。先頭にならって一糸乱れずに飛ぶ雁のように、みな同じ方向に向かう様子が次郎には堪えられなかったのだ。よほどつらかったのだろう、後年、神戸一中時代のことに話が及ぶと口をつぐんだ。

妻・正子だけは次郎の会話に時折関西アクセントが入ると言っていたそうだが、子供たちも含めそれ以外の人間が気づかないほど関西弁がでてこなかった。これも、そうしたことが背景にあるのかもしれない。

卒業生が軒並み一高や三高に進み、その後東京帝国大学や京都帝国大学に入学するのが当たり前という風潮にも反発を感じていた。入学のための試験が暗記中心の詰め込み教育であることに疑問を感じていたのだ。

（先生の教えることをそのまま答案にすることがそんなに偉いのか……）

次郎はその人生を通じ、〝他人と同じである〟ことに背を向け続けた。そうした気持ちは、自我の芽生えとともにますます強くなっていたのだ。迷いは成績にも反映されていった。一年生から五年生までを通じて中の下をうろうろする程度。彼の実力が完全に発揮されたものとは言えなかった。

（ガリ勉でいい成績をとっているやつらよりオレのほうが本当は頭はいいんだ）

という自負は常にあった。

唯一神戸一中時代に見せた積極的な行動が野球部への入部である。後述するが、父・文平は野球草創期の花形選手であった。次郎も幼いころから文平相手にキャッチボールをしたりして興味を持っていたのである。もともと身体を動かすことは大好きだ。運動神経も抜群。中学に入学したころはやせて小柄だったが、在学中に背がぐんと伸びた。素質は十分だったのだが、根性をつけさせることを主眼に置いた厳しい練習になじめず、残念ながら熱中するにはいたらなかった。その代わりに熱中しはじめたのがなんと車の運転である。このあたりがそんじょそこらの中学生とちがうところだ。

父・文平が次郎に与えた小遣《こづか》いは法外な額で、与え方も〝これで一年間過ごせ〟という豪快なもの。加えて旧制中学も最上級になったとき、次郎に買い与えたのがペイジ・グレンブルック1919型という米国車だった。車は当時、破格の貴重品。写真を見ると彼の車のナンバープレートは「兵五四」となっており、車の数の少なさが偲《しの》ばれる。舗装《ほそう》された道などない。ドライブは今のような軽快なものではなかったが、それでも幌《ほろ》を上げオープンカーにして走れば風を受けて爽快であった。今の車よりも運転席が高く、下界《げかい》を見下ろしているような感覚になれることも小気味《こきみ》よかった。

だが、このように極端な金持ちであることがいいことばかりとは限らない。同世代と対等の付き合いができなくなり、周囲との間に溝ができた。もともと人と群れることを嫌い、静かにひとりでいることを好む性格である。無理をしてまで周囲に打ち解けようとはしなかったが、それがときには金持ちの傲慢《ごうまん》と映った。成績表の素行欄に〝やや傲慢〟〝驕慢《きょうまん》〟〝怠惰《たいだ》〟といった文字が並んでいるところをみると、教師の不興《ふきょう》を買っていたことがうかがえる。

神戸一中時代の友人のひとりに今日出海《こんひでみ》（作家、佐藤内閣での初代文化庁長官、兄は作家の今東光《こんとうこう》）がいるが、彼は中学時代の次郎の印象として〝背が高い・訥弁《とつべん》・乱暴者・かんしゃく持ち〟の四点を挙げている（『野人・白洲次郎』）。

ふだんは声が小さく口の中でもごもご言っている感じのしゃべり方なのだが、感情が激してくると声が大きくなって次第に上唇の右側が上がってくる。そのうち言葉の統制がきかなくなって、いらいらした挙げ句《あげく》につい手が出てしまう。あまりに喧嘩が多いので、謝罪のために持っていく菓子折りが自宅に常備されていたというから相当なものである。

今《こん》は次郎のことを〝育ちのいい生粋《きっすい》の野蛮人〟と呼んでいる。このころの旧制中学はバンカラ気質が横溢《おういつ》していた時代で硬派が尊ばれた風潮ではあったが、次郎がしばしば喧嘩沙汰を起こしたのはそれだけが理由ではない。彼には日本という小さな国が窮屈でたまらなかったのだ。

## ケンブリッジ大学クレア・カレッジ

中学を卒業してからの進学先が問題となった。

優等生だった兄・尚蔵は、旧制第三高等学校（現在の京都大学総合人間学部）から京都帝国大学へと進んでいた。ところが次郎の成績では三高にはとても合格できそうにない。

文平が決断を下した。

「それならいっそのこと留学せえ」

次郎は耳を疑った。留学するにしても大学を卒業してからと思っていたからだ。

祖父・退蔵がミッション系の神戸女学院創立に関わったことから、白洲家には外国人女性教師が寄宿しており、次郎は彼女たちからネイティブの英語を学ぶことができた。欧米への憧《あこが》れは募《つの》り、授業中に英語の本を読んでいて怒られることもしばしば。

そんな次郎にとって、留学は願ってもないこと。このときばかりは、父・文平が神様に見えた。

後に彼はこのときの英国留学を冗談めかして、

「僕は手のつけられない不良だったから、島流しにされたんだ」

とひとつ話のように語っているが、〝島流し〟どころか世界最高の留学先だった。

もっとも、当時次郎と宝塚歌劇団の年上の女性との間にロマンスがあったという話もあり、もしかしたらこれが背景にあったのかもしれない。後年次郎は孫に、

「じいちゃんが学校から帰ろうとすると、校門のところに宝塚の女の子たちが待っていたもんだ」

と言って自慢していたそうだ。そうすると〝島流し〟という言葉もがぜん現実味を帯びてくる。大正九年（一九二〇年）一〇月一八日付の家族写真が残っているから、次郎の渡航はその翌年のことだったようだ。次郎このとき一九歳。

神戸港から客船に揺られ一ヵ月ほどもかけて英国へと渡った。気の遠くなるような長旅も、次郎にとっては心浮き立つ体験である。まずは現地の高校に入って大学の入学準備をすることになった。

次郎がロンドンに来てしばらくすると、京都帝国大学を卒業した兄・尚蔵もまた英

国に渡ってきてオックスフォード大学に入学した。尚蔵は上品でハンサムな好青年へと成長していた。兄と同じというのも面白くないと考えた次郎はケンブリッジ大学を志すことにした。今もそうだが、両校は〝オックスブリッジ〟と総称される英国の大学の双璧《そうへき》である。尚蔵を慕っていた次郎にライバル心などなかったが、出来のいい兄に追いつけるまたとないチャンスではあった。

そんなとき、次郎のもとに驚天動地の知らせが届いた。〝日本は大地震によって海底に沈んだ〟というのである。大正一二年九月一日に起きた関東大震災のことであった。実際、第一報はそうしたものであったという。それを聞いて、次郎が親しくしていた英国婦人は、

「ジロー、心配しなくていいのよ。ひとりぼっちになったらうちの子になればいいから」

と、同情の涙を流しながら抱きしめてくれたという。次郎は気が気ではなかったが、やがて誤報だとわかりほっと一安心。ようやく受験勉強に専念することが出来た。

日本の帝国大学を出た尚蔵は当時の制度により無試験で入学できたが、次郎は入学試験を受けねばならない。ヨーロッパ中世史を専攻しようと考えた彼は、どうせ勉強

するなら将来役に立つものをと、一念発起してラテン語の勉強を始めた。ラテン語はヨーロッパの古文書を読むには必須の知識である。こうして見事合格。

「日本からの留学生は漢文で受験するものだが、オレはラテン語で合格したんだ」

後年そう言って春正に自慢した。

ケンブリッジ大学には三一のカレッジがあったが、次郎が入ったのは最難関のクレア・カレッジ。英国王エドワード一世の孫娘エリザベス・ド・クレアによって創設された名門カレッジである。現在は共学だが当時は男子校。学寮での寄宿舎生活が始まった。

クレア・カレッジ入学式のときの写真が残っている。四角い学帽にマント姿の六九名の中で東洋人は次郎ただひとり。目立ったであろうことは想像に難くない。当初の成績こそ最下位に近かったが、猛勉強し二年目にはトップクラス入りを果たした。

ケンブリッジは優秀な教授陣で知られている。その中にはあの有名な経済学者ジョン・メイナード・ケインズもいた。恵まれた環境の中で、さまざまな知識を貪欲《どんよく》に吸収していった。このころ、目の覚《さ》めるような経験をしている。J・J・トムソンという優れた物理学者（電子の発見で有名）のクラスで試験を受けた際のこと。授業で教わったことを徹底的に復習していた彼はテストの結果に自信を持っていた。ところが返ってきた点数を見てがっかりした。案に相違して低かったのだ。不満げな顔のまま答案を仔細《しさい》にながめてはっとした。そこには、

〈君の答案には、君自身の考えが一つもない〉

と書かれていたのだ。頭のてっぺんから足先までびりびりっと電流が流れたような気がした。

（これこそオレが中学時代疑問に思っていたことの答えじゃないか！）

痛快な喜びがこみ上げてきた。テストの成績が悪かったことなどどこへやら、誰彼かまわず握手して回りたい気持ちだった。

（よし、やってやろうじゃないかっ！）

次の試験では自分の意見を存分に書いて高得点をもらった。英国で学ぶことの幸せをかみ締めることのできた瞬間だった。

当時のケンブリッジでは試験の得点だけではなく、何回食堂でチューター（指導担任）と夕食をともにしたかも卒業の条件となっていた。食事の時間を通じてマナーを身につけさせようとしたのだ。また教授たちは、講義を始める前、必ず学生に向かって“gentlemen”と呼びかけたという。次郎はその言葉を聞くたび、自分たちは自由

であると同時に紳士としての規律を求められているのだということをかみ締めた。

次郎は生涯を通じ、「プリンシプル（原則）が大事だ」ということをことあるごとに口にしたが、それはおそらくケンブリッジでの“Be gentleman”（紳士たれ）と同義だったのではあるまいか。英国紳士の精神的バックボーンは騎士道である。武士道と騎士道は、洋の東西と地理的にこそ離れているが相容《あいい》れないものではない。それらは次郎の中で玄妙《げんみよう》に交じり合い血肉《けつにく》の一部となっていった。

青年期は友情を育《はぐく》む時代である。次郎もまたケンブリッジで終生の友と出会った。貴族の青年ロバート・セシル・ビング（Robert Cecil Byng）である。ロビンと呼ばれていた。

先述したように次郎は群れることを嫌う。それは英国に来ても同じこと。パブなどに行ってもひとり店の隅で飲んでいることが多かった。ロビンも内気で人見知りする性格。次郎を見ていて自分に似たものを感じていた。

ある日、ロビンがあることで学友からからまれて困っていた。そこにたまたま通りかかったのが次郎である。弱いものいじめは次郎のもっとも嫌う行為。すぐさま、

「おい、嫌がってるんだからやめてやれよ」

と割って入った。カレッジでも一目置かれているこの東洋人の一言で喧嘩はおさまり、ロビンは無事難を逃れることができたのだ。次郎にすればなんということもなかったが、ロビンはこのことをたいへん感謝した。地味なロビンと派手な次郎。見た目は正反対でも性格的には似たところのあるふたりはすぐに意気投合していった。

ロビンは次郎の二歳年下である。彼の家系はウィリアム征服王の流れを汲《く》むストラッフォード伯爵家（Earl of Strafford）。一七世紀のストラッフォード一世は英国王チャールズ一世の寵臣《ちょうしん》として有名であり、ワーテルローの戦いに参戦し陸軍元帥になった先祖もいる名門だ。

ロビンは次郎の風貌が、自分の知っている日本人の特徴を一つも備えていないことが不思議でならなかった。後年次郎の次男・兼正《かねまさ》がロビンのところでホームステイしていたころ、

「お前たちにはアラブの血が混じってるんじゃないか？」

と乱暴なことを言ったという。

後に爵位を継承して七世ストラッフォード伯爵となるロビンも、このころは並の金持ちにすぎない。それに比べ次郎のほうは使いきれないほどの仕送りをもらっていた。嘘かまことか一度に一万円ほども送金があったという。小学校教員の初任給が四

五円程度だったこの時代。現在のお金にして三〇〇〇万円ほどになるであろうか。彼にまつわるエピソードを拾っていくと、どこまでが本当なのかわからなくなってくる。

そのころの英国自動車業界は、第一次世界大戦の航空機技術が導入された高性能の自動車が出始めていた時期である。新開発の自動車の素晴らしさに、次郎の自動車熱はいやがうえにも煽《あお》られた。そして選びに選んで手に入れた車がベントレーの3リッターカー。当時のカーマニアの垂涎《すいぜん》の的であり、その耐久性がル・マンの優勝でも証明された名車中の名車であった。

当時の車とあなどってはいけない。時速一〇〇マイル（約一六〇キロ）近いスピードが出た。今で言えばF1のレーシングカーに匹敵するだろう。現在のようにいたるところに車の修理工場のある時代ではない。高度な車の知識を持ち合わせていなければとても乗りこなせる代物《しろもの》ではなかった。日本にも戦前七台輸入されたが、あまりに高くて三台しか売れなかったという。価格がフォード車の二〇倍だったというから当然だろう。今で言うなら自家用ジェット機を買う感覚であろうか。先述の仕送りほどの資金がなければ買える車ではない。

あきれたことに一台でとどまらなかった。

次に購入したのがブガッティ。最高傑作と言われるタイプ35であり、走る宝石とまでいわれた名車である。車が貴重品であった当時、超高級車を二台所有するというのは尋常ではない。

夏季休暇などを利用して、英国だけではなく船で大陸に渡り欧州各地を走って回った。フランス東部アルザス地方のモルスハイムという町にあったブガッティの工場にまで出かけ、そこの技術者から直接指導を仰いだりもしたという。

当時は道が悪い。今よりゆっくり走ったのだろうと思うとさにあらず、次郎はいつも最高速度近いスピードで爆走した。次郎の車が近づく音はその迫力ある爆音ですぐわかる。休暇にロビンが父親（Hon. Ivo Francis Byng）の住む一四世紀の古戦場オッターバーン（Otterburn）の実家に帰っていたときもその爆音が轟《とどろ》きわたった。窓から顔を出したロビンに、次郎が運転席から声をかけた。

「ロビン、行くぞ！」

次郎が何度もドライブに誘うもので、おとなしいロビンも次第に車が好きになってきていた。もっとも彼の場合、自分で運転するよりも次郎の助手席に乗っている時間のほうが長かった。

「ゴーグル持ってきたか？」

「ああ」

「今日はいつもと違ってサーキットだからな」

ゴーグルはメルセデス・ベンツの創始者であるベンツ男爵がオープンカー用に作らせたのが始まりとされる。当時はまだ珍しいものだった。

「ジローみたいなスピード狂の横に乗るにはこれがなくちゃ目も開けていられないからな」

ロビンは真顔でそう言った。次郎が目指したのはロンドンから一時間ほどのところにあるブルックランズ・サーキット。一九〇七年に建設された世界初のレーシングコースである。

「ロビン、このサーキットはすり鉢状になっているだろ。あの高く膨らんだところを〝バンク〟って言うんだ。高速でコーナリングできるからスリル満点だぜ」

次郎の目はもうきらきら輝いている。

「ってことはいつもよりもっとスピードを出すってことか？　勘弁してくれよ……」

反対にロビンの表情はみるみる緊張で固まっていった。

ちょうど次郎が車で走り始めたころから、英国内ではスピードの出しすぎが社会問題化し始めていた。一九二五年からは公道での自動車レースが禁止されている。そのため各地にブルックランズのようなレーシング・サーキットが建設され始めていたのである。当然危険な目にも遭った。次郎は一度大事故を起こしたことがあり、足と鎖骨のあたりに傷跡が残った。それでも彼は自動車を愛し、走ることを止《や》めなかったのだ。

「あいつらまたブルックランズか？　まさに〝オイリーボーイズ〟だな」

ケンブリッジの友人たちは半ばあきれたようにふたりをこう呼んだ。〝オイリーボーイ〟とは、油まみれになって車をいじっているカーマニアを指す言葉である。次郎たちからすればこれ以上ない誉め言葉であった。共通した趣味によってふたりの絆はさらに深まっていく。

ロビンの伯父はストラッフォード伯爵。ノーサンバーランドに立派な城館を保有していた。

大正一三年（一九二四年）九月、夏季休暇も終わりに近づいたころ、次郎はロビンの伯父の城館を訪れた。蔦《つた》がからまり落ち着いたたたずまいの中に英国貴族のもつ歴史の重みが感じられる。

「ジロー、君はいつも気短だけど、まさかすぐ帰るとは言わないよな」
ロビンに引き止められて結局五日間も泊まることになった。今も残る来客簿には、〈大日本兵庫県川辺郡伊丹町　白洲次郎〉という署名が残されている。日本では浮いた存在だったが、こうして自分と対等につき合ってくれる友人をもてたことが嬉しかった。

オイリーボーイズは大正一四年の年も押し詰まったころ、サーキットを飛び出して欧州の果てを目指す旅に出た。ジブラルタル海峡まで二週間ほどのドライブである。真冬にオープンカーで疾駆《しっく》するというのはほとんど常軌《じょうき》を逸《いっ》しているが、それが若さなのだろう。地中海の出口にあたるジブラルタルは軍事上の要衝《ようしょう》であり、現在も英国領のまま。昔から英国人にたいへん人気のあるリゾート地である。まだ車が少なかった当時、行く先々でもの珍しげな子供たちに囲まれた。スペインはことに印象深かった。アルハンブラ宮殿を見下ろす丘に腰をかけ、ロビンとふたりで見た夕日は魂が震えるほど美しかった。

潤沢《じゅんたく》な仕送りもあり、留学生活はそれこそ〝酒と薔薇《ばら》の日々〟である。のびのびと学生生活をエンジョイしていた。スポーツでも活躍し、大学のスポーツ大会でネクタイを賞品としてもらったりもしている。そのうちデートに誘うガールフレンドができた。ロビンの一族と親しかったモリソン・ベル家のキャサリン（Kathleen Morrison Bell）である。ハイグリーンの立派な城館に住む上流階級のお嬢さん。何度も顔を見せるうち、彼女の母親にもすっかり気に入られてしまった。

大正一五年、彼女が親戚の一家と一泊二日の予定でパリ旅行に出かけたときのこと。

（一つキャサリンを驚かせてやろう）

次郎は海峡を渡り、彼女が泊まっているホテル・リッツ前のバンドーム広場に突然ブガッティに乗って現れた。今でこそ一つ星が減って四つ星になっているが、かのアーネスト・ヘミングウェイが「天国の夢を見ると、それはパリのホテル・リッツだ」と賞賛した最高級ホテルである。

「シャルトルまでドライブに行かないか？」

次郎は強引に彼女をデートに誘った。わずか一泊二日の旅なのだから彼女にも計画があったに違いないのだが、イギリスからわざわざ来てくれたボーイフレンドに敬意を表してデートに応じた。シャルトルはパリから南西に九〇キロほどのところにある町。

（まあ往復で五時間くらいみておけばいいかしら……）

と彼女は思ったが、次郎を甘く見てはいけない。なんと一〇〇マイル（時速一六〇キロ）近い全速力を出し、シャルトルまでわずか四〇分程度で行ってしまったのだ。シャルトルと言えばなんといっても大聖堂。〝シャルトルブルー〟と称されるステンドグラスは心揺さぶる美しさで、これをふたり並んで見上げることができただけで次郎は十分満足していた。

観るべきものは大聖堂しかない町である。ひととおり観終わるとふたりはまた車上の人となり、もと来た道を同様の猛スピードでパリへとひた走った。これではドライブでなくカーレースである。オープンカーのまま舗装《ほそう》されていない道を猛スピードで走った彼らは全身埃《ほこり》だらけ。そのままブガッティを、着飾った紳士淑女の行き交うホテル・リッツの前に横付けした。

ケンブリッジでの日々は夢のように過ぎていった。車やデートにばかり夢中だったわけではない。優秀な教授陣に囲まれて学問の世界の楽しさにも目覚めていた。

（できれば学者になりたい）

いつしかそう思うようになっていた。儒学者・白洲家の血なのかもしれない。後年春正に、

「中世スウェーデンの王家について研究しようと思っていたんだ」
と語ったこともあったという。

そんな希望に夢膨《ふく》らませていた次郎のもとに一通の電報が届いた。兄・尚蔵からであった。

――シラスシヨウテントウサン、スグカヘレ

（何だって……）

電報を持つ手が震えた。金融恐慌のあおりを受け、白洲商店が倒産したという知らせだった。寝起きの顔に冷水を掛けられたような思いである。昭和三年（一九二八年）、年が明けてすぐのことであった。

白洲商店を倒産に追い込んだ昭和の金融恐慌について少し触れておこう。

昭和二年三月、時の蔵相・片岡直温《かたおかなおはる》が「東京渡辺銀行は手形決済不能となり休業する」と、大蔵次官から渡されたメモを国会でついうっかり読み上げてしまったのがそもそもの始まりだった。東京渡辺銀行が休業に追いこまれると、その影響で他の銀行にも取り付け騒ぎが発生。コール資金の最大の取り手だった台湾銀行の資金繰りが悪化して、同行に頼っていた当時有数の貿易商社・鈴木商店の倒産を引き起こし、つい

に若槻礼次郎《わかつきれいじろう》内閣は総辞職に追いこまれた。

ここで事態の収拾に乗り出したのが、新しく蔵相に就任した高橋是清《たかはしこれきよ》である。高橋は裏が印刷されていない二〇〇円札を銀行の窓口に積ませて預金者を安心させたうえ、三週間のモラトリアム（債権債務の支払猶予）を発動させるという大胆な対策を打ち出してようやく事態を沈静化させた。

一連の騒ぎで休業した銀行は二九行に上ったが、その中に文平がメインバンクと頼りにしていた十五銀行が含まれていた。

次郎は父・文平のことをいつもは煙たがっていたが、それは人生の勝利者である父親がしばしば暴君よろしく勝手気ままに振る舞うのが疎《うと》ましかったからだった。だが今は事情が違う。父親が初めて直面した大きな挫折を乗り越えられるか、心配で仕方なかった。実は当時の白洲家にはもう一つの問題があった。兄・尚蔵のことである。

オックスフォードを卒業した尚蔵は、なんとロンドンのイーストエンドと呼ばれる貧民窟《ひんみんくつ》に住み始めた。大学時代、社会問題に目覚めた彼は、貧しい人々に目を向けようと自らその中に飛び込んでいったのだ。少し前まではアヘン窟《くつ》が軒を連ねていたような場所である。目の焦点が定まらない男や浮浪者がたむろしている。大英帝国の繁栄の陰に隠された闇の部分。ひとりの善意がその暗闇を照らせるほど生易《なまやさ》しいところではない。尚蔵は、あまりに恵まれている自分の境遇とのギャップに悩み、苦しみ、呆然《ぼうぜん》と立ち尽くした。煩悶《はんもん》する日々を重ねた彼はついに心を病んでしまい、次郎より先に傷心帰国していたのである。破産した文平を、そんな状態の尚蔵が支えられようはずもない。次郎が焦ったのにはそんな事情もあったのだ。

電話などない当時のこと。ただただ心配で部屋の中をうろうろと歩き回った。

（こうしてはいられない……）

すぐ気を取り直して荷物をまとめ始め、心残りだったが愛車ベントレーとブガッティを売って帰国費用にあてた。事情を聞いた親友のロビンはしきりに心配してくれた。

「なに、またすぐ会えるさ」

「必ずな！」

家が破産した以上、それが叶《かな》うことかどうか疑わしかったが、自分に言い聞かせるようにして再会を誓った。後ろ髪を引かれる思いがなかったと言えば嘘になる。しかしまずは父親を支えてやることが第一であった。

昭和三年（一九二八年）、八年間の留学生活にピリオドを打ち、次郎は再び日本の土を踏む。二六歳になっていた。白洲商店の倒産さえなければ後年の白洲次郎はなく、おそらく〝ケンブリッジに偏屈な日本人の中世史学者がいるそうだ〟といった程度で終わっていたかもしれない。人間の運命とはわからないものである。

前もって電報で到着時間を知らせていたこともあって、文平と尚蔵がわざわざ伊丹駅まで迎えに来てくれていた。列車のタラップの上から久しぶりに見た父親の姿は、以前より一回り小さくなったように見えた。

「おーい、次郎っ！」

文平はもう待ちきれなくて、遠くから手を振りながら大声で次郎のことを呼んだ。あまりの声の大きさに、周囲の乗客が一斉に次郎のほうを振り返ったのには閉口した。

（これぱっかりは昔のままだな……）

少しほっとした。次郎の心をぎゅっとしばっていた身体の糸がほどけて楽になった。

「大丈夫かい？」

「心配かけたけど、まあなんとか生きとるから安心せえ。それにしても立派になったもんやなあ。見違えたわ」

思ったほど落ち込んでいる様子はない。尚蔵のほうも落ち着いているらしく、相変わらず言葉少なではあったが次郎としっかり握手を交わした。

文平の言葉がカラ元気であったことはすぐにわかった。家に着いて荷をほどく間もなく、何人もの債権者が入れ替わり立ち替わり顔を出した。それこそ息つく暇もない。自慢の豪邸はすでに担保にとられている。売却は時間の問題だった。戦後この地所の一部がホテルになったが、開業にあたって調査したところ登記上土地が何筆にも分かれていたというから、債権者の数も相当多かったのだろう。

それでも文平は傲然《ごうぜん》と、

「払えんものは払えんのや！」

と言い放って口を真一文字にしていたが、家にいると債権者との応対をしないといけないので、しょっちゅう家を空けて花柳界に憂《う》さ晴《ば》らしをしに行った。尚蔵は部屋から一歩も出てこない。母・よし子がその都度申し訳なさそうに頭を下げるのを見るのはつらかった。すっかりやつれ、以前よりぐっと老けこんでいる。

「文平はんは今日も色街か。ほんまに困ったもんや。あの人、まわりに迷惑かけた思てんのかいな」

帰り際《ぎわ》、債権者は文平にぶつけられない不満の捌《は》け口をしばしばよし子に向けた。

次郎は見ていられなくなり、深夜したたかに酔って帰宅した文平に激しく食って掛かった。

「親父！　債権者の応対をお袋に任せて飲みに行くとはどういう料簡《りようけん》だ？　お袋がかわいそうだろう！　こそこそ逃げ回るなんて男のすることじゃないぞ」

「なんやとーっ！」

文平の目がみるみる三角になって釣りあがっていく。

「お前これまでイギリスでええ暮らししてこれたんは誰のおかげや思てんねん。このすねかじりが偉そうなことぬかすな！」

言葉だけでなく手も飛んできて、横っ面をいやというほど殴られた。次郎はこれまで父親に向かっていくなどということは金輪際《こんりんざい》なかったが、今では身体は次郎のほうが大きく筋骨隆々としている。腕っ節で負けるはずがなかった。目を怒らして向かっていこうとする次郎を、よし子は泣きながらしがみついて押しとどめた。

「次郎、お父さんに手を上げるようなことをしたら勘当ですよ！　頼むからやめておくれ、後生だから」

さすがの次郎もよし子には逆らえない。黙って後ろを向くと、怒りに肩を震わせながら自室にこもって荷造りをし始めた。

（こんな親父とは一緒に暮らせん！）

東京へ行くことを決意した。よし子のことが心配でないはずはない。翌朝、叔父の長平に事情を話し、母親を助けてやってほしいとお願いをしておいた。父・文平は頼りにならないが、この叔父はこういうとき、実に頼りになるのだ。

駅での見送りはよし子一人。文平は怒ってとうとう顔を見せなかった。自分のせいで次郎が東京に行くことになったこともあってか、よし子は目に涙をためたまま言葉少なである。母親の寂しそうな顔を見るのはやはりつらかった。

「東京で職を見つけたら仕送りをするからね。楽しみにしててよ」

座席の窓越しに、次郎はわざと明るい言葉を投げた。よし子は微笑みながらうなずき、ホームから手を差しのべた。次郎はその手を、まるで大切なものを包み込むようにして両手で握り返したが、白く蠟《ろう》のように透き通った手は鶴のように痩せていて痛々しい。すぐ離すことができなくなり、ピーっという発車の笛が鳴るまで、その手を握り続けた。

「身体に気をつけて……」

やっとの思いでよし子が口にした最後の言葉は、汽車の動き出す音にかき消されて切れ切れにしか届かなかった。両頰を涙が濡《ぬ》らしている。その姿がせつなくて、次郎は胸の奥が酸《す》っぱくなった。よし子の姿が小さな点のようになるまで窓から身を乗り出すようにして手を振り続けた。さすがに見えなくなってようやく座席に座ったが、それでもしばらくは涙が止まらず、周りの客に見られるのが恥ずかしくてずっと車窓から外を眺めていた。景色が涙の中をゆらぎながら流れていった。

上京した次郎が就職したのは『ジャパン・アドバタイザー』という英字新聞社である。

ちょうど昭和三年一一月に昭和天皇即位の御大典が行われることもあって、さっそく日本の歴史や文化を外国人にわかりやすく紹介する連載記事を持たされ、相当の収入を得ることができた。そのほとんどは伊丹への仕送りにあてた。もちろんよし子宛である。

英国にいたときは一度もホームシックにならなかった次郎だったが、日本に帰ってきたとたん胸が苦しいほどに英国が恋しくなってきた。寝ても覚めても思うのは英国のことばかり。

そんなとき、ケンブリッジの友人から手紙が届いた。昭和四年一〇月、太平洋会議という各国有識者の集まる会議の第三回大会が京都で開かれることになっており、そこに英国代表としてこの友人が参加するというのである。次郎はそれを知ってもう居ても立ってても居られなくなってきた。

（よし、ひとつ潜り込んでやろう）

この会議は、上は一線で活躍している政治家から下は社会人になりたての若者を含む幅広い年齢層から選ばれた国際派の人々が意見交換を行う場となっていた。日本側団長は新渡戸稲造《にとべいなぞう》（『武士道』の著者）、そのほかにも前田多門《まえだたもん》（後の文部大臣）や鶴見祐輔《つるみゆうすけ》（当時の高名な著述家・後の厚生大臣）、松岡洋右《まつおかようすけ》（後の外務大臣）といった錚々《そうそう》たるメンバーがそろい踏みしていた。大会には正式の代表でないと参加できない。それを次郎は英国代表の友人ということで飛び入り参加してしまうのだ。いい度胸である。

会場は京都ホテル。地上七階地下一階、前年に新築されたばかりの日本を代表する豪華ホテルである。会場に向かう途中、ロビーで急に背後から声をかけられた。

「白洲じゃないか！」

「えっ？」

日本人に知り合いがいるとは思ってもいなかっただけに驚いて振り返ったところ、そこに立っていたのは松本重治《まつもとしげはる》という神戸一中の四年先輩。〝西の渋沢栄一《しぶさわえいいち》〟と呼ばれた関西財界の雄・松本重太郎《じゅうたろう》（城山三郎《しろやまさぶろう》『気張る男』の主人公）の孫である。当時東京帝国大学法学部の助手をしていた彼は、幹事役の高木八尺《たかぎやさか》東大教授の推薦で日本側書記を務めていた。秀才の誉れ高かった松本は、中学時代たいへん恐い人という印象だっただけに最初は少し緊張したものの、徐々に打ち解けていった。

英国への郷愁を引きずる次郎に、そんな思いを吹き飛ばしてしまうような鮮烈な出会いがあった。伯爵家のお嬢さんというその相手こそ、樺山正子——エッセイスト白洲正子の若き日の姿だった。

ここで正子の生い立ちについて触れておきたい。

彼女の祖父・樺山資紀《かばやますけのり》伯爵は、海軍、内務、文部大臣、枢密顧問官《すうみつこもんかん》を歴任した薩摩閥の重鎮《じゅうちん》。ちなみに母方の祖父・川村純義《かわむらすみよし》伯爵も薩摩藩出身で、大日本帝国海軍創設の立て役者であった。海軍卿《きょう》、枢密顧問官を歴任。川村家では、明治天皇の意向により幼い昭和天皇と秩父宮を引き取って、しばらく屋敷内で里子として養育していた。それほど皇室の信頼が厚かったのだ。

樺山家の屋敷は東京・永田町一丁目一七番地（現在の自民党本部のあたり）にあり、鹿《ろく》鳴館《めいかん》と同じコンドルの設計による重厚な洋館。馬が二頭、馬車が三台、門の脇の長屋には御者《ぎょしゃ》と別当《べっとう》が住んでいた。当時の洋画界を代表する画家・黒田清輝《くろだせいき》が父・愛輔《あいすけ》の従弟だったことから、黒田の代表作である『湖畔《こはん》』（一九〇〇年パリ万国博に出品。現在は黒田記念館蔵、切手にもなっている）が客間を、『読書』（東京国立博物館蔵）が食堂を飾っていたというから贅沢《ぜいたく》な話である。

後に〝韋駄天《いだてん》お正《まさ》〟と呼ばれるようになる行動力と男勝りな性格はすでに幼いころはっきりと現れていた。小学校に上がる前に富士山に登りたいと言ってダダをこね、結局ゴネ勝って、馬の背に揺られながら夏の富士に登ったというから恐れ入る。自分のことを〝ボク〟と呼び、気に食わぬことがあると回らぬ舌で「ブッテコロチテチマウ」と叫んでは九歳上の兄・丑二《ちゆうじ》の心胆《しんたん》を寒からしめた。

中学までは学習院女学部（前身は華族女学校）。大正七年に火災のため青山練兵場跡地へと移転するまでは永田町御料地にあったので、屋敷からは目と鼻の先であった。学習院時代の親友が会津松平家のお姫様である松平節子《まつだいらせつこ》（後の秩父宮妃）である。

正子は、女性としては珍しくアメリカの女学校に留学している。もちろんこれも〝ダダをこねた〟結果だった。留学先はニュージャージー州のハートリッジ・スクール。全寮制の厳しい教育を受けたが、そこに突如金融恐慌が訪れる。先述の十五銀行破綻《はたん》によって樺山家も甚大《じんだい》な損害を蒙《こうむ》ったのだ。

やむなく永田町の屋敷を三菱銀行の串田萬蔵会長に売却して、一家は大磯の別邸へ移ることとなった。西行法師が「こころなき身にもあはれは知られけり鴫立沢《しぎたつさわ》の秋の夕暮」と詠んだ大磯の鴫立沢の近くに〝二松庵〟と呼ばれる別邸があったのだ。すぐ近くには〝園芸場〟と名づけられた別荘もあった。その後永田町の屋敷は吉田茂の手に渡り、空襲で焼けるまでの住まいとなったのは奇縁である。

正子はすでにヴァッサー・カレッジという最難関女子大への入学試験に合格していたが進学をあきらめ、当時ニューヨークのモルガン銀行に勤めていた兄・丑二とともに帰国の途に着いた。丑二は正子を送り届けるための一時帰国である。

丑二《ちゅうじ》とはまた変わった名前だ。昭和天皇の二〇日後に生まれたことから、陛下に次ぐ丑の生まれという意味で丑二と名づけられた。樺山家と皇室との関係がうかがえる。

経済的に多少ダメージを受けたとはいえ樺山家はさすがに名家。帰国するやいなや縁談話が降るようにやってきたが、帰国してからというもの日本の男性の野暮《やぼ》ったさが目についてしかたなかった。

(まだ一八だし、あわてて結婚する必要ないわ。せめて二五くらいまでは自由気ままに暮らしましょう)

と気楽に構え、縁談話には見向きもしなかった。だが人生はえてして思いどおりにはいかないものである。

ある日、兄の丑二とともに茶席へと招かれた。茶席は上流階級の社交場である。家を出るときから丑二が妙にそわそわしているのに気がついた。正子は、

「お兄様、何か企んでいません？　もうお見合いはお断りよ」

と念を押したが、丑二は微笑を浮かべるだけで返事をしない。すると案の定、

「僕たちと同じころ英国から帰国した友人なんだ」

とひとりの青年を紹介された。それが白洲次郎だった。

歌の文句ではないが、恋というのは突然に訪れる。目と目が合った瞬間、正子の心臓は早鐘《はやがね》のように打ち始めた。

（なんて背が高いの、なんて凛々《りり》しいの、なんて甘いマスクなの、なんて気品ある物腰なの……）

胸のあたりから零《こぼ》れ落ちてくる甘い花弁《はなびら》のようなオーデコロンの匂いが鼻腔《びこう》をくすぐるともういけなかった。部屋の空気が急に薄くなったように感じ、胸のあたりが酸っぱくなってきた。頬がほてり耳朶《じだ》まで真っ赤になっていくのが自分でもわかる。赤くなったことを相手に気づかれているかと思うとさらに赤くなってしまう。いつもの

威勢のよさはどこへやら、柄《がら》にもなく下を向いてしまい、こんな自分もいたんだと、どこか遠くにいる冷静な自分が感心してしまっている。そう、まぎれもなく一目惚《ひとめぼ》れだった。貴公子然とした彼を前にして、日ごろの〝二五歳結婚宣言〟は頭から吹き飛んでしまっていた。

一目惚れだったのは次郎のほうも同じ。英国から帰国した当初は見るもの見る人すべてが矮小《わいしよう》で貧弱に見えたが、例外だったのが女性である。日本の女性の可憐さや情の細やかさが以前よりずっと魅力的に感じられてならなかった。加えて正子は女性としては珍しく海外経験があり、はきはきしたところもある。彼女は次郎の理想像であった。

実は次郎には、ロビンたち友人の間で「彼はこの女性と結婚するんだろうな」と噂されていた英国女性がいたという（おそらく先述したキャサリンであろう。もっとも正子は「次郎の本命はむしろ彼女の妹のほうだったのではないか」と話していたらしい）。帰国後も次郎の机の写真立てにはその女性の写真が入っていたのだが、正子と出会ってすぐその写真は破いて捨ててしまった。思い切りの良さは次郎の真骨頂である。もっとも後年長男の春正に、

「彼女と結婚していたら、お前も今ごろアイノコだったなあ」

と言って笑っていたらしい（不適切な言葉だが肉声なのでご海容を）。

それからというもの、次郎は毎日のように正子にラブレターを書き送った。恋というのはどんな物臭《ものぐさ》な男をもまめにしてしまうもの。次郎の場合、ラブレターは全部英語。真剣になると、話すときだけでなく書くときも英語になってしまうらしかった。ちなみに正子も英語で返事を書いたという。

〈Masa : You are the fountain of my inspiration and the climax of my ideals.
Jon〉

「正子：君は私にとって霊感の泉であり究極の理想だ　ジョン（筆者注：次郎のこと）」と書かれた次郎のポートレートが今に残されている。第三者からすれば歯の浮くような文句だが、恋は人を詩人にしてしまうようである。

手紙だけではない。映画を観に行ったり、食事をしたりと何度もデートを重ねた。そしてついに昭和四年の春の終わりごろ、次郎は正子にプロポーズするのである。出会って半年後のことだった。気短な次郎にしてはよく我慢していたというべきだろう。場所は京都ホテルの屋上ビアホール。当時のビアホールは、サラリーマンがくだを巻いて騒いでいる場所ではなかったことを急いで付け加えておく。

プロポーズの言葉は意外にも、

「結婚してくれ」

という平凡なもの。土壇場になって以前の〝二五歳結婚宣言〟がわずかに頭をよぎったが、男勝りの正子はくよくよ考えたりしない。その場で、

「はい」

と明るく返事をした。

「じゃ、君のお父上にもご挨拶しなくちゃ」

次郎は相手に息つく暇を与えない男である。このときも一気呵成《いっきかせい》だった。

正子の父・樺山愛輔はアマースト大学、ウェズレーアン大学、ボン大学で学び、日本人で初めてテニスをした人物としても知られている。帰国後は千代田火災、日本製鋼所重役を経て、貴族院議員、枢密顧問官《すうみつこもんかん》を歴任。戦前は日米協会などを通じて開戦回避に全力を傾注し、戦後は国際文化会館の設立など関係改善に尽力。一貫して日本と米国の橋渡しを果たした当代一流の人物であった。

次郎は虎ノ門の東京倶楽部《くらぶ》で将来の舅《しゅうと》・樺山愛輔と初めて会った。一対一である。こんなときぐらい落ち着けばいいものを、椅子に座るやいなや発した言葉がなんと、

「お嬢さんを頂きます」

であった。〝頂きたい〟ではなくて〝頂きます〟である。その強引さには、愛輔もなかばあきれ顔だった。

樺山愛輔と次郎の父・文平は、同じころドイツのボンで留学生活を送っていたからお互いを知り尽くしていたが、実は仲が良くなかった。愛輔は文平のことを乱暴者だと思っていたし、文平は愛輔のことを、

(カビーの野郎、薩摩《さつま》隼人《はやと》の血を引いているくせに外人のご機嫌取りばっかりしやがって、腰抜けめ！)

と馬鹿にしていた。愛輔は留学中、現地の友人から〝カビー〟と呼ばれており、文平も愛輔のことを終生〝カビー〟と呼んだ(〝カビー〟とは〝樺山〟という姓からきている愛称である。欧米人のこうした習慣が彼らの中では自然と身についていたのだ)。

愛輔は、次郎があの白洲文平の息子だと聞いて、正直なところこの縁談にはあまり乗り気ではなかった。常識的に言っても、金融恐慌の影響を蒙《こうむ》ったとはいえ、伯爵家の令嬢が破産者の息子と結婚するというのは考えにくい。ちなみに正子の姉の結婚相手は日本郵船社長の令息である。だがそこは恋した者の強み。正子が強引に両親を説き伏せた。いや、

「白洲さんと一緒になれなかったら家出します」

と宣言したのだから、〝脅迫した〟というほうが正しいかもしれない。

喧嘩して上京してきたとは言え、そうと決まれば正子を文平に会わせねばならない。次郎は正子をつれて伊丹へと向かった。伊丹の屋敷は近く取り壊されることが決まっていたが、まだ文平たちはそこに住んでいたのだ。お手伝いの太刀川静（通称タチさん）が正子について伊丹まで来てくれた。

タチさんは越後《えちご》小千谷《おぢや》の出身で、元は日露戦争の従軍看護婦であった。正子が生まれる一〇年も前から樺山家でお手伝いさんをしており、生まれてからずっと世話をしてくれたいわば育ての親である。越後生まれの女性らしく、性格は優しく肌理《きめ》細やかな気配りのできる女性であった。正子が一〇歳を過ぎた頃にいったん結婚したが、正子が帰国したころには夫を亡くしていたため、再び正子の面倒を見てくれるようになっていたのである。

伊丹では、母のよし子はもちろん喜んでくれたが、意外だったのは、文平が心から祝福してくれたことだった。文平は最初のうち、

「カビーの娘？　そんなお嬢さんもらって大丈夫か？」

と言っていたのだが、正子を一目見るなりすっかり気に入り、その喜びようはそばで見ていても異常なほど。

「良縁や。めでたい、めでたい」

幼いころから暴れんぼうで心配ばかりかけていた次郎がこんな立派な花嫁をもらえた——それを思うと涙が出て止まらない。涙と鼻水で顔がくしゃくしゃになっていった。次郎は恥ずかしくて穴があったら入りたい思いだったが、正子は本当にありがたいと感謝し、一度で文平のことが好きになった。伊丹滞在中、文平は毎日正子を大阪の一流料亭に連れて行ってはご馳走してくれた。だがそれくらいではこの喜びを表すには十分でないと思ったか、

「今やったら少しくらい金があるから」

と、債権者の厳しい取り立てから隠しとおした残りの全財産をはたき、ふたりに結婚祝いとしてランチャ・ラムダを贈ってくれた。当時日本に二台しかなく、現在の貨幣価値で三〇〇〇万円はしただろうといわれるイタリアの名車である。ふたりの門出への精一杯の心づくしだった。

結婚式の日取りは昭和四年一一月一九日、大安の日と決まった。ふたりともしきた

りにはこだわらない合理主義者である。結納《ゆいのう》の代わりに五〇円の小切手を郵便で取り交わした。樺山家の家計が苦しかったため、嫁入り道具は母親のお古の箪笥《たんす》だけ。ただ次郎は正子のために、内側にラテン語で結婚した日付を彫った結婚指輪を買った。文金高島田《ぶんきんたかしまだ》に花嫁衣裳は白無垢《しろむく》の内掛《うちかけ》。婚家に入るということで、次郎から白洲家の家紋だと聞いていた笹竜胆《ささりんどう》の紋付である。ところがそれを見たよし子から、

「正子さん、また珍しい紋ですわねえ」

と思いもかけないことを言われて仰天してしまった。

「次郎さんから白洲家の家紋は笹竜胆だと聞いていたのですが……」

「いえ、うちの紋は酢漿草《カタバミ》ですよ」

正子は思わず真っ赤になってしまった。あとで次郎を詰問すると、

「カタバミなんて地味な紋、ボクは好きじゃないんだよね。うちは源氏の流れを汲んでいるから、源氏の紋の笹竜胆でいいんだよ」

という返事。あまりのいい加減さに開いた口が塞がらなかった。次郎にこういう一面があることを初めて知って驚いたが、その後の結婚生活では、むしろ彼のこうした面ばかりを見て暮らすことになる。結婚とはえてしてそうしたものである。

ふたりの実家がある東京と伊丹の中間ということもあって、プロポーズされた思い

出の京都ホテルを会場に決めた。近親者二〇人ほどの質素な結婚式。それでも仲人を頼んだのが、維新の三傑のひとり大久保《おおくぼ》利通《としみち》の三男・大久保利武《としたけ》（鳥取、大分、埼玉、大阪の知事を歴任）だというから並のふたりではない。

このとき、正子には気がかりなことがあった。正子の母・常子《つねこ》が重病の床にあり、明日をも知れぬ状態だったのである。常子は家事や子育ては何もしない人だったらしいが、和歌、茶道、香道など諸芸の天才で、明治・大正の貴族社会では〝今清少納言〟と言われた才女だった。正子は多分にこの母親の血を受け継いだのである。

だが父・愛輔は、

「せっかく文平がこんな素晴らしい車を買ってくれたのだから、新婚旅行に行ってきなさい」

と、正子の背中を押すようにして新婚旅行へ行くよう促《うなが》した。愛娘への心配りだった。

助手席に花嫁を、後部座席には山のような荷物を乗せて次郎は新婚旅行へと出発した。ハイカラでお転婆《てんば》な正子はドライブが大好きである。鈴鹿峠では深い霧で一寸先も見えなくなり、正子が車から降りて路肩を確認しながら何時間も歩くという羽目になったが、ふたりでいれば何があっても楽しかった。まずは奈良ホテルで一泊し、その翌日は蒲郡《がまごおり》に泊まり、箱根の富士屋ホテルに寄って一二月二日、無事大磯へと帰ってきた。

母・樺山常子はまるで正子たちの帰宅を待っていたように、彼らが帰ってきた翌日、天に召された。次郎は悄然《しょうぜん》とする正子の肩を抱きながら、

「しっかりしておいで、気を落とさずにね」

と言って慰めた。こういうときの次郎は実に優しいのである。次郎と正子の母・常子との付き合いはわずか数ヵ月にすぎなかったが、何十年たっても常子の思い出話となると次郎は目を潤ませたという。自分の母・よし子と重なるものがあったからかもしれない。

樺山家は先述の事情で当時大磯に住んでいたが、母屋《おもや》のほかに離れが幾棟もあったため、ふたりはしばらくそこで暮らした。新婚の夕食の席で次郎は、

「ネクタイもせずに失礼」

と一言断ってから席について正子を驚かせたという。アメリカに留学していた彼女にもこうした英国流のマナーは新鮮だった。ただ食事のときの優雅さは新婚時代だけ。後年はさっさと先に食べ終わって席を立つようになってしまった。

結婚式が終わって家に戻ったとき愛輔は、

「正子がいなくなって、世の中が真っ暗闇になった」

とつぶやいた。それほどまでに正子を愛していたのだが、結婚してからは、〝もう白洲家の嫁になったのだから〟と遠慮して次郎たちの新婚家庭に顔を出すことはほとんどなかった。昔気質《むかしかたぎ》の人だった。幸いにして次郎のことはたいへん気に入ったらしく、晩年まで、

「白洲はいい男だ」

としみじみ言っていたという。一方の文平も正子のことを自分の娘のように可愛がり、

「よかった、よかった。お前さんをもらってよかった」

とことあるごとに口にした。幸せなふたりだった。

一緒に軽井沢へも出かけた。上流階級の社交場だった軽井沢ニュー・グランド・ホテルにお揃《そろ》いの白いタキシードを着て現れ、その場の人々の目を釘付けにしてしまった。彼らはどこに行っても目立つ存在だった。当時はまだ貸別荘を利用していたが、後に外国人宣教師の住んでいた家を別荘として購入。毎年六月くらいから頻繁に利用した。ときには次郎ひとりでも行くくらいに軽井沢は次郎にとってたいへん愛着のあ

る場所だった。

ジャパン・アドバタイザー社の給与はわが国の平均をはるかに上回るものだったが、白洲家への仕送り等もあって収入が追いつかない。仕方なくわずかながら残っていた印象派などの名画を、一枚また一枚と売る筍《たけのこ》生活を余儀なくされた。正子はこのころ、次郎の給料がいくらかなどということは考えたこともなかったという。そんな〝お姫様〟をもらったことも家計を圧迫する要因の一つだったのかもしれない。彼女は料理もできない。とは言っても、タチさんがいるからまったく心配はなかった。娘の桂子《かつらこ》によれば、正子は自分の使った食器を洗っただけで金メダルでも取ったようにして自慢したという。ただその食器も、もう一度洗いなおす必要があったようだ。

昭和六年（一九三一年）二月五日、当時住んでいた赤坂氷川町（現在の赤坂六丁目）の家で長男の春正が生まれた。次郎は正子が陣痛で痛がるのを見ていられず、外に飲みに行ってばかり。こういうときの次郎は実に頼りないのだ。お産は軽かったのだが、そろそろ退院しようという段になって産褥熱《さんじょくねつ》に罹《かか》ってしまう。病状は重く、生死の境をさまよった。死んだはずの母・常子が目の前に現れたというから、まさに臨死体験である。

医師は次郎に、

「ふだん奥さんは何かスポーツをしておられますか？」

と聞いてきた。

「はあ多少は……。でもどういうことですか？」

と不審に思って聞き返すと、

「心臓が持てば助かります」

と言われ一気に青くなった。

〝正子危篤〟の知らせに、父・愛輔は言うに及ばず、文平のほうも、伊丹を出てひとり暮らしをしていた大分県の直入《なおいり》郡荻《おぎ》村からわざわざ駆けつけてくれた。遠路はるばる来てくれた文平の心配そうな顔を見て、病床の正子はしみじみありがたいと思った。

手厚い看護もあって正子はやがて快方に向かい、なんとか退院することができた。家に戻ると赤ん坊の仕草の一つ一つに笑いが起こる。一時は死にかかったことなど忘れてしまうほどに、家の中は明るくなった。もちろん子育てもタチさんの出番である。

そのころ、次郎のもとにケンブリッジ時代の同級生ジョージ・セールから一通の手紙が届いた。セール・フレーザー商会という貿易商社の御曹司《おんぞうし》だった彼から、不振だった日本法人の整理を手伝ってくれないかと声がかかったのだ。文平が綿花貿易に携わっていたこともあって、かねてから貿易に興味を持っていた次郎は一も二もなく引き受けた。

こうしてジャパン・アドバタイザーを退社し、セール・フレーザー商会の取締役に就任することとなったが、待遇が破格だった。月給がなんと五〇〇円。東京府知事(現在の都知事)の月給が四五〇円だった時代である。通常の会社の一〇倍という高給だった。

給料に見合う仕事をしようと必死に頑張った。簿記の知識が必須だと感じた彼は、会社が引けてから神田の村田簿記に通っている。後年神田のあたりを通った折、長男の春正に、

「このあたりは懐かしいんだ」

としみじみ語ったという。朝六時ごろ家を出て夜九時か一〇時に帰宅という毎日が続いた。

事業の拡大ならまだしも、整理縮小というのは難しい仕事である。ビジネスマンと

しての辛酸《しんさん》もなめた。ある夏のこと、大失敗をやらかしてしまい取引先の重役に呼びつけられたことがあった。日ごろから口うるさい人である。ともかくここはひたすら頭を下げるほかはない。

「馬鹿やろう、あやまってすむことかっ！」

案の定強烈な雷が落ちてきた。それだけではない。あろうことか相手は激昂《げっこう》のあまり、蓋《ふた》の開いているインク壜《びん》を投げつけてきたのだ。このとき次郎は運悪く仕上がったばかりの麻のスーツを着ていた。真っ白なスーツの上に青いインクが無情に広がっていく。

（我慢だっ……）

非は明らかに自分にある。唇をかみ締めながらただただ直立不動で頭を下げ続けた。その後水に落ちた犬のようにしょんぼりと戻ってきた次郎は、事務所の前まできたところで、

「ご注文を頂きに参りましたっ！」

と急に声をかけられ、驚いて思わず立ち止まった。そこには洋服屋とワイシャツ屋がにやにやしながら並んで待っていたのだ。聞くと、くだんの重役が、

「もうすぐしたらスーツに青いしみをつけた若い男が帰ってくるから、今すぐ行って

待ってろ」

と彼らに命じていたのである。結局まったく同じスーツを作ってもらった。鮮やかな背負い投げを食らった思いである。と同時に、胸に温かいものがこみ上げてきた。

(ありがたいことだ……)

恨みがましい気持ちはいっさい消え、ただただ感謝の気持ちでいっぱいになった。後々まで彼は、このときのことをひとつ話のようにして語った。そうしたときの次郎は実にうれしそうであったという。一方で彼は、昔のこうした〝うるさ方〟が少なくなったことをしきりに残念がった。

当時の日本ではまだ欧米を知る者はそう多くない。次郎のような人材は引く手あまたであったが、このころ彼は、共同漁業の田村啓三《たむらけいぞう》社長から強烈なアプローチを受けていた。

共同漁業は田村の父親が英国からトロール船を購入してトロール漁業を始めた会社である。田村社長は日産コンツェルンの鮎川義介《あいかわよしすけ》の協力を得て業務を急拡大させるなど、スケールの大きい人物であった。次郎に対する勧誘の仕方も半端ではない。

「白洲さん、今度うちは日本食糧工業を吸収合併する。そうすれば規模も格段に大きくなる。これを機会に本格的に海外に打って出たいんだ。そのためには貴方の英語力と海外人脈が必要だ。一緒にやってもらえませんか」

「そうはおっしゃっても欧州はノルウェーなど北欧の漁業大国が控えているし、米国もすでに大手水産加工業者が市場を占有している。海外に打って出るとおっしゃるが、容易なことではないですよ」

ここで田村は威儀を正した。

「白洲さん、わが国はご承知のとおり鉱物資源のない国だ。外貨を稼ぐのも至難の業。ただ我々には海洋資源がある。それを冷凍したり缶詰にしたりして加工することで付加価値を与え外貨を稼ぐのはまさにお国のためなんだ。そうは思いませんか」

〝金儲けのためだけではない、お国のためなんだ〟――田村の情熱に次郎の気持ちは動いた。次郎が英国に強い思い入れのあることは先刻承知。田村はダメ押しするようにこう言った。

「白洲さんには役員になってもらい好きにやっていただきます。世界中を回ってもらいますが、とくに英国には毎年行ってもらうことになるでしょう」

次郎の気持ちは決まった。セール・フレーザー商会の仕事が一段落していたこともあり、田村社長の申し出をありがたく受けることにしたのである。

昭和一二年（一九三七年）三月、まずは買収先の日本食糧工業に入社して合併準備を行い、同年一二月、共同漁業と合併後名前が変わった新生〝日本水産〟の取締役外地部部長に就任した。三五歳という若さであった。

缶詰、鯨油《げいゆ》の輸出先拡大が主な仕事。鯨油はマッコウ油とナガス油に大別されるが、前者は蠟燭《ろうそく》や洗剤、口紅などの原料になり、後者はマーガリンなどに加工される。鯨油マーガリンはこの当時、オランダ、ドイツ、イギリス、デンマークなどで大規模生産が行われており、次郎の仕事の中心はこれらの国への日本産鯨油の売り込みにあった。

鮎川義介にも気に入られ、仕事は順調だった。外国人との交渉はお手の物。一年に四ヵ月ほどしか日本にはおらず、世界を飛び回る日々が続いた。毎年ロンドンにも出かけた。ロビンとの友情も復活し、彼から大口の顧客を紹介してもらったりした。このころ貿易実務を学び海外の資本家たちとコネクションを持てたことは彼の大きな財産となった。同時に、貿易こそが、国を豊かにする鍵を握っているのだということを身をもって知るのである。

ただ家庭にしわ寄せがきた。正子は出張中大磯の実家に帰っている。次郎が帰国するとまたどこか適当な借家を探して一緒に住むという生活が続いたため、九年間で一

○回も引っ越しを重ねることになった。たいがいが麴町、赤坂、麻布あたり。乃木坂に住んだこともあるし、麻布鳥居坂の高木喜寛《たかぎよしひろ》男爵邸の離れに住んだこともあった。

正子は時折ひとり暮らしをしているような錯覚に襲われたが、寂しくはなかった。このころ彼女は留守の無聊《ぶりよう》を慰めるため社交界に入り浸っており、「今日は米国大使館にお呼ばれ」、「明日は英国大使館にお呼ばれ」と、海外の外交官たちとのパーティーが毎晩のように入っていたのだ。長男・春正が最初に覚えた言葉が〝お呼ばれ〟だったという笑えない話もある。春正は戦後の正子の活動に関して、「こうした戦前の華やかな社交界の生活が、戦後振り返ってみるといかにむなしい虚飾の世界であるかということに気づき、そのことが正子を〝侘《わ》び寂《さ》び〟の世界に駆り立てたのではないでしょうか」と語る。さすが身近な人間の観察だけに、〝エッセイスト白洲正子〟の原点を極めて的確に指摘しているような気がする。

次郎は正子を海外出張に同行させたことがあった。戦時色が濃くなり始めていた昭和一一年のことである。子供はタチさんにお願いし、ふたりで欧州へと渡った。二・二六事件の知らせもパリで聞いた。久々の海外に正子は大喜びである。だがはしゃぎすぎたのが悪かったのか、ドイツ滞在中、子宮外妊娠により卵管が破裂。大量の出血で再び生死の境をさまようこととなった。さしもの次郎もドイツでは頼れる人もいない。後悔の念に苛《さいな》まれた。

（ついて来させるんじゃやなかった……）

大量に出血したと聞いただけでもう冷静ではいられない。毎晩浴びるほど酒を飲んだ。ベッドのわきで手を握っていてあげればいいものを、彼の場合それができなかった。飲まずにはいられない。夜もなかなか眠れずベッドの上で輾転反側《てんてんはんそく》した。ラジオからヒトラーの演説がのべつ聞こえてくるのも不愉快だった。ようやく正子が元気を取り戻したころには憔悴《しょうすい》しきっていて、頬が削れて翳《かげ》ができ、病床の正子が逆に慰めてやるほどになっていた。だが良くなってきたと思ったのもつかの間、正子はまた、

「ジロちゃん、おなかが痛いんだけど」

と言い出した。腹が差し込んで我慢できない様子である。医者に見せると、

「これは腸捻転《ちょうねんてん》ですな」

と言われた。大病で急激にやせたために腹の中に隙間ができて腸がねじれてしまったのだ。

（またか……）

悪夢を見ているとしか思えない。二度と海外出張には連れて行かないと心に誓っ

た。

思いもかけない入院費用の支払いで所持金は底をつき途中で借金する羽目になったが、仕事はこなさなければならない。予定どおり商談のためアメリカ経由で帰国することにしたが、その間に正子はみるみる回復。大病したのが嘘のように元気になり、次郎もようやく愁眉《しゅうび》を開いた。

帰国後、長男の春正が大塚にある東京高等師範学校の附属小学校（現在の筑波大学附属小学校）に入学したことから、一家は大曲《おおまがり》から安藤坂下を左に入ったあたりの水道町四一番地（現在の文京区春日《かすが》二丁目）へと引っ越した。ここで次男・兼正や長女の桂子が誕生する。徐々に戦争の影がちらつきつつあったが、白洲家はつかの間の平和な毎日を過ごしていた。

# 近衛文麿と吉田茂

「ジロー、ちょっと頼みたいことがあるんだけど」

その電話の主は、牛場《うしば》友彦《ともひこ》という一歳上の幼馴染《おさななじみ》であった。親同士が親しかったことから神戸時代からまるで兄弟のようにしており、〝ジロー〟〝トモ〟と呼び合う間柄。次郎がその人生で最も親しかった友人のひとりである。神戸二中、一高、東京帝大を経てオックスフォード大学を卒業後、大学で教鞭《きょうべん》をとっていたが、後の同盟通信社社長・岩永裕吉《いわながゆうきち》の紹介で近衛《このえ》文麿《ふみまろ》の私設秘書となっていた。近衛は貴族社会の頂点に立つ人物。まだ四十代前半と若く、進歩的と見られていたことから、世間では〝近衛首相待望論〟も出ていた。そんな近衛をサポートする側近団を編成しようと考えた牛場は、自分の身近で〝これは〟と思う人物に声をかけていたのだ。

「近衛さんにジローのこと紹介したいんだよ」

ほかならぬ牛場からの依頼とあって、次郎は二つ返事で引き受けた。父・文平がボン大学留学中、近衛文麿の父・篤麿《あつまろ》（貴族院議長、枢密顧問官）と親しくしていたという話を聞いていただけに、近衛には以前から親しみを感じていたのだ。牛場に言われたとおり、永田町にあった近衛家の私邸へと出向いていった。

「牛場から話はうかがっています。お父上に似て豪快な方だそうですね」

次郎は目の前に立っている近衛文麿という男に、何ともいえぬ風圧を感じていた。それは日本の貴族社会が千年以上の時間を経て培《つちか》った風格と言っていいだろう。背も高く、ややもすると次郎が見下ろされるほどであるのにも驚いた。少し不自然に感じられるほど顔に表情の出ない人である。鼻の下にちょび髭《ひげ》を生やしている。チャップリン映画が人気を博した大正年間から日本ではちょび髭が流行していたのだ。

近衛家は藤原忠通《ふじわらのただみち》を始祖とし、平安時代以降、摂政関白を輩出《はいしゅつ》してきた五摂家《ごせっけ》の一つ。天皇家から養子を迎えたことがある唯一の家系である。同じ華族でも明治以降の論功行賞で爵位をもらった〝新華族〟とは格が違い、平安時代から続く〝堂上華族《とうしょうかぞく》〟（三位以上および四位、五位のうち昇殿を許された公卿《くぎょう》を指す）として明治以前から貴族社会の頂点に君臨してきた。余談ながら、次郎の家のあった伊丹は江戸時代近衛家の領地であり、現在の伊丹市の市章は近衛家の家紋をかたどったものである。

次郎は貴族的な雰囲気《ふんいき》が嫌いではない。牛場がいるという気安さもあって、それからしばしば近衛邸に顔を出すようになっていった。そしてそれは、彼が政治の世界に関心を持ち始めるきっかけとなった。

近衛は昭和天皇の前でひざを組む唯一の人間としても知られていた。後年次郎が時代の風潮である天皇崇拝に染まらなかったひとつの理由は、近衛の近くにいて天皇制度を客観的に見ることが出来たからかもしれない。

牛場は第一次近衛内閣（昭和一二年六月〜一四年一月）の成立に際して首相秘書官に起用され、側近たちの活動はいよいよ活発なものとなっていった。次郎が太平洋会議で会った松本重治のほか、西園寺《さいおんじ》公一《きんかず》、細川護貞《ほそかわもりさだ》、犬養健《いぬかいたける》、尾崎《おざき》秀実《ほつみ》といった面々が側近グループの中心であり、彼らはいつも近衛と朝食をともにしながら情報交換を行っていた。

側近たちもほとんどが名家の出身。西園寺公一は元勲西園寺《さいおんじ》公望《きんもち》の孫であるし、近衛の娘婿《むすめむこ》でもあった細川護貞は熊本藩主細川家の出である。犬養健も犬養毅《いぬかいつよし》首相の嗣《し》子《し》、先述したように松本重治は関西財閥の雄、松本重太郎の孫である。また牛場と西園寺はオックスフォード、次郎はケンブリッジ、松本はエール大学と海外経験者も多かった。一人毛色の違う尾崎は牛場の一高時代の同期である。後に尾崎は有名なゾルゲ事件に連座して死刑となるが、彼のペンネームは〝白川次郎〟だったから、次郎のことは他人という気がしなかったに違いない。

側近たちは近衛のことを〝カンパク〟と呼んでいた。関白太政大臣《かんぱくだじょうだいじん》の関白である。次郎はさらにくだけて〝オトッチャン〟とも呼んでいたようだ。近衛にしてみれば、次郎のもつある種の野蛮さがかえって可愛く思えたらしい。西園寺も「近衛さんは白洲さんのことが好きだったようだ」と語っている。最初は通訳を任される程度だったが、日を追うごとに親密の度を増していった。

「白洲君、少し文隆《ふみたか》の面倒を見てやってはもらえないか」

ある日、近衛からそう頼まれた。文隆は近衛の長男である。樺山愛輔の世話でアメリカに渡りプリンストン大学に学んだ彼は、ゴルフ部のキャプテンを務めたほど活発な青年。それを気にした愛輔が、わざわざプリンストン大学の校長に〝あまりゴルフに熱中させせないでほしい〟と手紙を書いたほどであった。カーレースにも熱中し夜遊びも盛んだったため、愛輔の心配したとおり、学業不振のため卒業できずに帰国することとなった。

帰国後も名家に生まれたことに反発し、わざと不良っぽいことをしたりして手を焼かせたが、近衛は文隆に面とむかって小言が言えない。次郎なら自分に代わって説教してくれるだろうと思ったのだ。

効果は期待以上だった。次郎は自分に似たところのある文隆をたいへん可愛がったが、間違ったことをしたときには目いっぱい叱《しか》った。あるときも近衛邸の二階で文隆を大声でどやしつけていると、あまりの叱り方に心配になった近衛が二階まで上がってきて、

「そんなに言わなくても文隆はわかるよ」

と泣きを入れてきた。次郎はいっこうに頓着《とんちゃく》しない。

「これはもともと、あなたの指図でやっていることでしょう！」

と声を荒らげて言い返すと、近衛は肩をすくめながらほうほうの体《てい》で階下に降りていった。

しかし立場変わって自分の家庭ではどうだったかというと、いつも正子に叱り役を任せていたというからいい気なものである。

近衛文隆はその後出征し、砲兵隊の中隊長として満州（現・中国東北部）で終戦を迎えたが、近衛の息子だと目をつけられた彼は、一一年の長きにわたって極寒《ごっかん》の地シベリアに抑留され、昭和三一年（一九五六年）一〇月二九日、ついにチェルンツィ村のイヴァノヴォ収容所において悲惨な最期を遂げた。

そのことを後に知った次郎は、怒りに身を震わせながら痛哭《つうこく》し、

（ソ連の野郎、絶対にゆるさねえ！）
と天を仰いでその非道を呪った。

人の出会いとは実に不可思議なものである。ある出会いを通じて、世の中が急に広がったり、人生が思わぬ方向に動いていったり、いわば〝出会いの連鎖〟を誘発していく。次郎もまた、牛場という幼馴染がいたことで近衛との出会いが生まれたわけだが、一方で正子を妻に選んだことにより、もう一つの決定的な〝出会い〟へと導かれていくのである。その相手こそ、次郎をわれわれの知る〝白洲次郎〟たらしめた人物――戦後の大宰相《だいさいしょう》吉田茂その人であった。

ここで吉田茂という人物について触れておこう。吉田は明治一一年（一八七八年）、土佐の民権家・竹内綱《たけのうちつな》の五男に生まれた。吉田が生まれたとき、竹内は土佐の乱の反乱者たちに武器を用立てたとして獄につながれていた。吉田には生母についての記憶がほとんどない。妾腹《しょうふく》であったと言われている。後年、花柳界での遊びが過ぎると言われ、

「芸者の子供だから芸者が好きなんだ」

と冗談を言ったが、あながち冗談でもなかったようだ。竹内には正妻と愛妾数人に

あわせて一〇人の子供があったという。邪魔者扱いされたのか、吉田は生後わずか九日目で養子に出された。

養子先は横浜の貿易商・吉田健三《よしだけんぞう》のところ。その健三は、茂がまだ一一歳だったときにこの世を去ったが、この養父が当時のお金で五〇万円という莫大な資産を残してくれた。内閣総理大臣の年俸が九六〇〇円だった時代。現在の貨幣価値にして五〇億円は下らないと思われる。

いくつかの学校を転々としたあと、明治三九年（一九〇六年）東京帝大を卒業して外務省に入省。同期の中でもとくに気の合った友人が後の首相・広田弘毅《ひろたこうき》である。そして結婚した相手が牧野伸顕《まきののぶあき》の娘・雪子であった。牧野は明治の元勲大久保利通の次男。文相、農商務相、外相、パリ講和会議次席全権、宮内相、内大臣を歴任した政府の要人である。この結婚が、吉田にとって二度目の、そして決定的な幸運となる。彼は岳父となった牧野を実の父のように慕い、心から信頼して後々まで何かと指導を仰いだ。

牧野と正子の父・樺山愛輔は、同じ薩摩出身で境遇も似ていたことからたいへん親しい関係にあった。牧野はしばしば樺山家の御殿場の別荘を訪れ、正子も〝牧野のおじ様〟と呼んで幼い頃から慕っていたのだ。

次郎は結婚直後、大磯の樺山邸で吉田と初めて顔を合わせた。吉田は大磯に別邸を持っていたから、いわばご近所さんである。

「あなたが白洲君ですか。これはまた男前だ。正子さんもいい人を選ばれましたな」

小柄な吉田はそう言うと、次郎を見上げるようにして微笑んだ。この時次郎は軽い挨拶を返した程度。まさかこれが〝運命の出会い〟になろうとは予想だにしていなかった。次郎二七歳、吉田は五一歳であった。

このときは、貴族的な人物だな、というくらいの印象にすぎなかったが、軍靴《ぐんか》の響きが高まるにつれ、次郎の耳には、吉田が軍部にさえ盾つく一徹な人物だという噂が入ってくるようになった。

昭和七年（一九三二年）、松岡洋右が国際連盟総会に全権として参加することとなった折のこと。この話を聞いた吉田は、即座にその危うさを感じ取った。松岡は英米の実力を軽視しドイツの力を過大評価していたからである。そこで吉田は、牧野の義弟である秋月左都夫《あきづきさつお》（元読売新聞社社長、元オーストリア大使）を連れて行くよう申し入れたが、〝お目付け役〟だと察した松岡によって一蹴《いっしゅう》される。怒った吉田は松岡に向かって、

「あなたはドイツしか見えていないようですが、出かける前に頭から水でも浴びて少

し落ち着いてから行かれてはいかがですかな」

と言い放ったという。松岡といえば当時飛ぶ鳥を落とす勢いで、外務省を牛耳っていた人物であるが、吉田はそんなことなど眼中になかった。吉田の懸念は果たして現実のものとなる。昭和八年二月二四日、松岡は国際連盟総会の場から芝居がかった退場をし、その後わが国は国際連盟を脱退。国際社会の中で急速に孤立していくのである。

吉田は軍部の大立者である東条英機《とうじょうひでき》のことを、顔を合わせても挨拶をしないほどに嫌っていた。一方その東条を中心とする軍部は、開戦阻止に動く吉田や牧野、樺山たちのことを〝ヨハンセングループ〟（〝吉田反戦〟のもじり）という符号で呼んで警戒していた。そしてついに昭和一〇年一二月二六日、軍部から〝君側《くんそく》の奸《かん》〟と指弾されていた牧野は、彼らの圧力によって内大臣を更迭《こうてつ》される。牧野の更迭を裁可《さいか》する際、昭和天皇は声を上げて泣いたという。天皇が心からの信頼を寄せていた牧野を罷免《ひめん》できるほど、軍部の力は強大になっていたのである。

それでも吉田はあきらめなかった。千葉県の柏に隠棲《いんせい》した牧野と手紙をやりとりしながら策を練った。だが検閲《けんえつ》の目は日増しに厳しくなっていく。そこで活躍したのが次郎だった。

その頃、先述のように次郎は近衛のところに出入りするようになっており、近衛と吉田が親しい関係にあったことから、吉田と接触する機会も次第に増えてきていた。噂どおりの頑固者である。だがそんな吉田に、次郎は強く心惹かれていくのだった。

しばしば次郎は、吉田の依頼で牧野のところへと使いに行っている。樺山家と牧野家の関係を考えれば、次郎が出入りしていてもまったく不自然ではない。こうして懐《ふところ》には吉田からの手紙を持ち、さらに重要な事項は口頭で伝えるべく、吉田と牧野の間を何度も往復した。

当時、ヨハンセングループには身の危険さえあった。昭和一一年、次郎が海外出張で正子と一緒に欧州に渡っていた時に起こった二・二六事件では、牧野は滞在中だった湯河原で反乱軍の襲撃に遭っている。危機一髪、あやうく難を逃れ九死に一生を得たが、軍部の風当たりはいよいよ強くなっていった。

そうこうするうちに広田弘毅に組閣の大命が下る。同年三月のことであった。思いがけない大役に戸惑いながらも、広田は外務省の同期である吉田を外務大臣に迎えようとした。だがこれは当然軍部の猛反対によって突き返されてしまう。やむなく吉田の入閣は見送ったが、その代わり彼を駐英大使に任命した。

広田の友情に感謝しつつ英国に赴任した吉田であったが、大使になった後も彼の姿勢は変わらない。着任早々「日独防共協定」が俎上《そじょう》に載ったときも、各国の大使、公使連がみな賛成した中にあって吉田だけは頑強に反対を続けた。軍部は説得のために武官を駐英大使館に急派したが、それでも首を縦に振ろうとはしない。外務省内でも吉田は孤立した。結局吉田を無視して協定は結ばれることとなった。

「日本はどのような事態になっても英米との絆を断ち切ってはならない。陸軍はなぜドイツに傾斜するのか、なぜヒトラーごとき人物を信じるのか」

〝みんな目を覚ませ！〟――そう世の中に向かって叫びたかった。

日本から遠く離れ、苛立ちは募るばかり。そんな吉田の前に、一陣の涼風のように爽やかな男が現れた。次郎だった。事前に連絡して来るような彼ではない。ふらっと立ち寄ったという様子でロンドンの日本大使館に現れた。

「お元気ですか？」

久しぶりに見る吉田の口元に、白い歯がこぼれた。吉田もまた次郎の潑剌《はつらつ》とした笑顔に触れ、それまでの気鬱《きうつ》が一気に晴れるような思いだった。それから次郎はロンドン出張のたびに大使館で寝泊りするようになり、吉田も次郎が来るのを楽しみにするようになっていった。

しばしば二人は大使館地下でビリヤードを楽しんだが、その様子が尋常ではなかった。

「このバカ野郎！」

「こんちくしょう！」

聞くに堪《た》えない罵声《ばせい》が飛び交う。言葉だけ聞いていると喧嘩しているとしか思えない。

(あの白洲とかいう男がついに何かしでかしたのか)

心配した大使館の職員がこわごわ様子をのぞきに行ったが、幸い殴り合っている様子はない。いやむしろ、吉田の顔は子供に戻ったように生き生きしている。おまけにゲームが終わるとけろっとして、ふたり仲良くビールを飲みながら談笑しているのだ。キツネにつままれたようであった。

それは次郎なりの思いやりだったのだ。吉田は孤独だった。軍部から危険人物とみなされている彼に、近づこうとする者などいるはずもない。外務省内でも孤立し、唯一の理解者だった広田も、わずか一〇ヵ月ほどで軍部の横暴に耐え切れず総辞職していた。

次郎はそんな吉田のストレスを発散させてやっていたわけである。次郎が立身出世を望む人間だったら、この頃の吉田などにはけっして近づかなかっただろう。だがそんなことは次郎にとってどうでもいいことだった。権威をものともしない吉田の硬骨漢ぶりが次郎の心を捉えて離さなかったのだ。鋭敏な時代感覚、周囲に惑わされることなく冷静で筋の通った考え方、こうと思ったら譲らない頑固さ、功を誇らない奥ゆかしさ、すべてが次郎には好ましかった。次郎にとって吉田は、夢に思い描いていた理想の〝うるさ方〟だったのである。

〝苦しいときの友は真の友〟という言葉がある。吉田とは歳が二四も開いていたが、このころ築いたある種の友情がその後のふたりの関係を決定づけた。吉田もまた次郎の中に自分と似た資質を見出したのだろう。議論べたで、気が早いため癇癪《かんしゃく》が先に来て、すぐ〝うるさい〟〝ばかやろう〟になってしまうところまでそっくりである。まるで息子のような次郎が可愛くてならなかった。

麻生太郎《あそうたろう》が祖父・吉田茂を回想した『麻生太郎の原点　祖父吉田茂の流儀』の中に、

〈祖父、吉田茂は「カン」のいい人を可愛がった〉

というくだりがある。吉田は鈍い人を見ると、「犬よりカンが悪い奴だ」と言って嫌った。その点次郎は並外れて「カン」の働く男である。吉田に可愛がられた秘密はこうしたところにもありそうだ。

次郎は吉田の妻・雪子にも可愛がられたが、ある日彼女から折り入って頼みごとをされた。

「うちの和子にいいお相手はいないかしら？　次郎ちゃん、さがしてやってちょうだい」

というのである。和子というのは、吉田が目の中に入れても痛くないほど愛していた三女のこと。吉田には健一（英文学者で評論家、小説家）という長男がいたが、吉田とは性格が正反対だったことから、吉田の愛情はもっぱら男勝りの和子に集まっていた。

その相手を探すというのは並たいていのことではないはずだ。にもかかわらず、次郎は割り箸を割ってくれと頼まれたような気軽さで、

「ＯＫ！　マミー、任せておいてよ」

とふたつ返事で引き受けると、はりきって帰っていった。そしてそれからいくらも経たないうちに、

〈欧州出張から帰る船の中でいい男を見つけたから、この男性と結婚するように〉

という命令口調の手紙を和子に送りつけてきた。その〝いい男〟とは、九州で炭鉱を経営している麻生鉱業社長・麻生太賀吉《あそうたかきち》のこと。たまたま船で一緒になり、サンフランシスコから横浜までの二週間ほどずっと一緒に賭け事をしていてすっかり意気投合したのだ。ギャンブルは上流階級の嗜《たしな》みの一つ。〝賭け事〟とはいってもたいへんスマートなものだった。

あれよあれよという間に話は進んでいき、和子はめでたく太賀吉と結婚することになった。次郎は吉田家にとって縁結びの神でもあったわけだ。後年吉田は、

「金は銀行に取りにいけばいつでも引き出せるところをみると、麻生が入れておいてくれるのだろう」

と語っている。麻生財閥の経済的バックアップなくして後の吉田の政治活動はなかっただろう。こうして次郎は、吉田家にとって家族同然の関係となっていく。そして和子、太賀吉、次郎の三人は、その後の吉田側近グループの核となっていくのである。

海外出張の多い次郎は吉田のために、イギリスの駐日大使ロバート・クレーギーとの連絡役も買って出た。英国のチェンバレン首相は当初、吉田の開戦回避の動きが、

宮中に影響力を持つ牧野を通じて皇室にまでつながっていることを高く評価していたが、やがて外務省内が松岡の息のかかった枢軸派《すうじくは》（親ドイツ派）で占められるようになると、吉田の提案と日本の外務省の動きとがあまりにもかけ離れてきたため、しだいに吉田がドン・キホーテのようにしか見えなくなっていった。

失意の中、昭和一三年（一九三八年）九月三日、吉田に帰国命令が出た。帰国して浪人状態となった吉田だがまだあきらめてはいなかった。昭和一五年七月、第二次近衛内閣が発足。三国軍事同盟締結の機運が高まると、吉田は、

（是が非でも同盟締結だけは阻止しなければ）

と、近衛に対し内閣総辞職を求めるという思い切った挙に出たが、結局同盟は締結されてしまう。

近衛は蔣介石《しょうかいせき》とは対決姿勢を明確にしていたが、米英との開戦だけはなんとか阻止しようと努力していた。だが第二次近衛内閣に閣僚として入れた東条英機陸相と松岡洋右外相に振り回され、なかでも南仏印進駐は致命的で、米国の対日石油輸出禁止措置・在米日本資産凍結という態度硬化をもたらした。残念ながら、今のわれわれの目には近衛の動きはマッチポンプ的にしか映らない。

時間がむなしく過ぎていく。そして昭和一六年一一月、ついに〝ハル・ノート〟が

手交されるのである。戦後の東京裁判でインドのラダ・ビノード・パール判事が、

「モナコのような小国でもハル・ノートを受諾することは不可能だったろう」

と語ったほど厳しい条件が並んでいた。

当時、日米協会の会長をしていた樺山愛輔は、最後の最後まで日米の関係改善に向けて努力を続けており、アメリカのグルー駐日大使と次郎たちは自然と家族ぐるみの付き合いになっていった。そうした中、しばしば吉田と次郎はグルーと会談を持ち、必死に事態打開を模索していた。だがもう吉田ひとりの力では、いかんともしがたいところまできていたのだ。

祈りもむなしく昭和一六年一二月八日、真珠湾で戦いの火蓋《ひぶた》が切られた。それはあたかもレミングの大群が湖に一直線に進んで溺《おぼ》れ死ぬようであった。

一方、日本水産役員としての次郎もまた、時代の流れに押し流され、もがき苦しんでいた。水産業は戦時下の重要な産業である。そのため国家統制の対象となり、私企業としての自由な活動は次第に制限されていった。次郎は、召集令状を受けて戦地に向かう社員がいれば率先して壮行会を開いてやるなど、部下思いなところを見せていたが、ついに昭和一七年五月、水産統制令により日本水産は、日本海洋漁業統制株式

会社（後のニッスイ）と帝国水産統制株式会社（後のニチレイ）とに分割を命じられるのである。

次郎は、日本水産の元重役であった農林大臣・井野碩哉《いのひろや》の推薦もあって、不本意ながら帝国水産の理事に就任することになる。彼を日本水産へと誘ってくれた田村啓三社長は日本海洋漁業統制株式会社の社長となり離れ離れになってしまった。戦時体制への不満は日に日に募るばかり。次郎はその不満の捌《は》け口を帝国水産の新社長・有馬《ありま》頼寧《よりやす》へとぶつけていった。

有馬は久留米藩二一万石を誇った大名家の当主である。有馬家は久留米に移封《いほう》される前は白洲家のルーツである三田《さんだ》藩を領しており、有馬家が創建した菩提寺梅林寺がその後名を変えて白洲家の菩提寺心月院となったという縁もあった。大正一三年には衆議院議員となり、昭和七年には農林政務次官、翌年には産業組合中央金庫理事長、昭和一二年には第一次近衛文麿内閣で農林大臣へと上り詰めた〝大物社長〟であった。

有馬は日記をつけていたが、昭和一八年から一九年にかけて次郎が頻繁に登場している。そこには、

〈白洲君としばらく話す。此人《このひと》は何かの時に役立つと思ふ〉（昭和一九年六月二一日）

といった記述がある。近衛や吉田から直接情報が入ってきたから、「近く東京が空襲される」とか、「ドイツはあと一ヵ月も持たないらしい、その証拠に英国ではすでに灯火《とうか》管制《かんせい》を解いたそうだ」などという最新情報をもたらして重宝《ちようほう》がられた。有馬からの依頼で近衛への連絡役を買って出たりもしている。ただ一方で有馬は、次郎の〝親米的な言辞《げんじ》〟が気になってもいた。

農相まで経験した大物が社長に就任したのは、この会社を政府に忠実な組織にするためだということくらい先刻承知の次郎だったが、戦時色が強まっていくにつれ不平不満をぶつけるようになっていった。

「国は生産性をあげるために統制会社を作ったっていうけど、競争をなくしちまったら生産性なんてあがるわけないですよ。日本はいつから共産主義国家に変わっちまったんですか」

「今回の統制会社設立は、君の古巣の日本水産と井野農林大臣が中心となって進めたものなのだから、君が文句を言うのは筋違いだろう」

「知りませんよ、そんなこと。オレが外国に出張している間に全部決まっちまってたんだから」

「もう動き始めたんだから、お国のためと思って君も持ち場でがんばってくれ」

「英米相手に戦争しちまったら、せっかく広げた販路だって全部パアですよ。ドイツやイタリアが代わって缶詰買ってくれるんだったらいいけど。まあ、こんな馬鹿なことしてるようじゃ戦争もすぐ負けちまうに決まってますけどね。ソ連に占領されちゃったときはそのままでいいでしょうけど、資本主義国のままでいるつもりだったらさっさと統制会社なんてもんはなくしたほうがいいですよ」

いつも言いたいことだけ言うと、さっさと社長室から出ていく。次郎の言い分もわからないではないが、それをもろにぶつけられる有馬社長はいい迷惑だ。有馬は日記に、

〈相変わらず白洲君に話しこまれる。どうして此人《このひと》は、日本の敗ける事を前提としてのみ話をするのであろう〉(昭和一九年九月二六日)

と書き記している。憲兵にでも聞かれたらと思うと気が気ではない。そのうち次郎は理事会にも出席しなくなっていった。

「白洲君、最近理事会に顔を見せないがどういうことかね」

有馬にとがめられた次郎は、きっとして、

「理事会で何か決めて自分たちでビジネスができるっていうんですか？　できないでしょう。政府から言われたとおりにするだけの経営なら理事会なんて必要ないです

よ」

と言い放った。理事会どころか社長も不要だというような口ぶりである。

「お国のために国民が一致団結しなければならないときに、自分勝手なことをされては困るよ」

精神論でしか反論できない社長を前にイライラが最高潮となり、ついに、

「帝水なんかつぶしちまえばいいんだ！」

と暴言を吐いてしまった。これには日ごろ温厚な有馬もさすがに頭に来たのか、

「そんなことを言うなら君のほうこそ会社をやめればいいだろう！」

と珍しく声を荒らげた。次郎は黙って後ろを向くと、バタンッと大きな音を立てて部屋から出て行った。無性に腹が立った。有馬に対してではない、政府の無能無策に対してである。売り言葉に買い言葉ではないが、〝いやならやめろ〟という有馬の言葉どおり、次郎は帝国水産に辞表を叩きつけた。未練はなかった。

ちなみに有馬社長は戦後、A級戦犯として巣鴨《すがも》プリズンに収監されるが、そのころ終戦連絡中央事務局次長としてGHQとの折衝にあたっていた次郎は、尋問の際の注意を与えるなど何かと世話を焼いている。有馬個人には何のわだかまりもなかったのだ。釈放後有馬は日本中央競馬会理事長に就任。競馬レースの一年を締めくくる大一

番・『有馬記念』にその名を残した。


次に次郎が選んだ仕事――それは百姓だった。話は日本水産時代にさかのぼる。

「正子、オレ百姓やろうと思うんだ」

次郎の思いつきはいつも突然である。

「はいはいそうですか」

正子は子供たちの手前、相槌《あいづち》を返しはしたが、また始まったかと内心あきれていた。

「バカ、わかってねえな」

次郎は真顔である。

「いいか、よく聞けよ」

そう前置きしたうえで、近い将来間違いなく食糧不足になること、東京一円が空爆される可能性さえあることを、とうとうと話して聞かせた。

(ジローさんってやっぱりすごいわ)

満州に続いて中国全土を占領しようかという破竹の勢いだった当時、〝敗戦〟などという文字は人々の頭にまったくなかったはずである。そんな中にあって、周囲に流されることなくきわめて冷静に危機対策を考えている。自分の選んだ夫は本当にすごい男だと惚れ直していた。退職金も残っている。こうして田畑つきの田舎家探しが始まった。

南多摩郡鶴川村（現在の東京都町田市鶴川）の駐在所につとめていたタチさんの甥《おい》がその話を聞いて、それならぜひ鶴川村へ来てくださいと協力を申し出た。彼とは以前から行き来があり、春はイチゴ狩りや筍《たけのこ》掘り、秋は栗拾いにと子供たちをたびたび鶴川に連れていってくれていたのだ。鶴川は多摩丘陵の一部で山や谷の多い変化ある地形。夏になると田圃《たんぼ》に蛍が群舞し、秋は柿や栗が採れ、雑木林からはのんびりと炭を焼く煙が上がった。

（こんなところに住んだらさぞかし寿命が延びることだわね）

正子はここを訪れるたびにうらやましく思っていたのだ。

彼の世話で付近を見て歩くことにした。当時の小田急線鶴川駅は、列車が着いても乗降客がひとり、ふたりしかいないのんびりした田舎駅であったが、やはり駅に近くないと不便である。売家は結構あったが、駅から離れているものがほとんど。これでは子供が通学できない。探し始めてから一年以上たったある日のこと、駅から一五分ほど歩いたこんもりとした山懐《やまふところ》に、いかにも住みやすそうな農家があるのが目に留まった。

「あんな家に住んでみたいものだわね」

そんな正子のつぶやきを耳にして、タチさんの甥はさっそく交渉してくれた。そこには老夫婦が住んでいたが、幸運にも、家が老朽化していたこともあってちょうど引っ越したいと思っていたところだった。とんとん拍子に話が進んだ。次郎も一目見て気に入り即金で購入することを決めた。初めて手にした我が家だった。

敷地は五〇〇〇坪ほどもあった。茅葺《かやぶき》屋根は雨もりがし、床も一部腐ってはいたが、一〇〇年以上の年月を経た大黒柱や梁《はり》は黒々として実に見事である。

「よし、オレがなんとかしよう」

次郎が腕をまくった。若い大工はみな兵隊に行ってしまっている。年をとってはいても腕のいい大工を見つけだし、次郎の指揮で修理を始めた。正子も大黒柱を磨いたりと手分けして汗を流した。そのころ自宅は水道町にあったからそう頻繁には来られなかったが、それでも週に二、三回は足を運んだ。

次郎はこの田舎家を〝武相荘《ぶあいそう》〟（現在の住居表示は東京都町田市能ケ谷町一二八四）と名づけた。

「武蔵の国と相模の国の国境にあるから武相荘だ。立派な名だろう」

もっともらしいことを言っているが、〝無愛想《ぶあいそう》〟にかけたしゃれであるのは誰でもすぐわかる。そんな子供のような遊び心が彼にはあった。

やがて真珠湾攻撃によって日米間に戦争の火蓋が切られると、緒戦の勝利に国民はみな提灯行列《ちょうちんぎょうれつ》で狂喜していたが、次郎はそんな様子を冷ややかな目で見ていた。懊悩《おうのう》する日々が続き、このころ訪ねてきた友人の今日出海《こんひでみ》もその常ならぬ様子に驚いた。

「えらい深刻な顔しとるな」

「そういうお前は、提灯行列で浮かれてるやつらに与《くみ》するっていうのか？」

「そういうわけじゃないが、ちょっと肩の力を抜いて眺めていてもいいんじゃないか」

「馬鹿なっ！」

次郎は珍しく雄弁に語りだした。

「今に見ていろ。東京は数年にして灰燼《かいじん》に帰すだろうよ。ルーズベルトの二〇〇〇万トン造船計画を絵空事《えそらごと》だと笑うやつがいるが、あいつらはきっとやってみせるだろう。しかも、今の造船所をフル回転してではなくまったく新しい工夫によってそれを実現するんだ。日本の諜報機関はなってねえ！　机上の研究ばかりで、生きている米国人をぜんぜん知らない。あんなやつらの言うことなんか当てになるか！」

ただでさえ感情の量が常人に倍しているのだ。話すにつれ力が入り声が大きくなっていく。目は血走って少し涙ぐんでいるようにさえ見えた。

（漱石の〝坊っちゃん〟のような奴だな）

冷静な今《こん》は、四十の声を聞くようになっても青年のひたむきさを失わないこの友人をうらやましく思っていた。


昭和一七年（一九四二年）四月、東京に初めての空襲があった。このときは爆弾を数発落としただけだったが、水道町の家の二階からところどころ黒煙が上がっているのを見た正子は我慢できなくなった。

「ジローさん、すぐにでも鶴川に疎開しましょうよ」

自分たちはまだしも子供たちが心配だった。すぐさま荷物をまとめるよう正子に言った。

修理はまだ不十分だったがそんなことは言っていられない。母屋の屋根の葺《ふ》き替えもあったので、まずは納屋で暮らし始めた。母屋の裏にトタン板で囲って即席の風呂場も作った。そこから見る星空は〝降るような〟という形容がぴったりの息を呑む美しさ。思わず見とれてしまい風呂に入るのが楽しみになった。

当時の農村にはまだ江戸時代以来の隣組制度が残っている。冠婚葬祭の際などその組同士で助け合うのである。彼らはよそ者の次郎たちのことを温かく仲間として迎え入れてくれ、無償で手伝ってくれた。人情が身にしみた。落ち着いてみるとますますこの家が気に入ってきた。前の持ち主が植木好きだったらしく庭木が四季折々の美しい花をつけ、桔梗《ききょう》、りんどうなどの草花も可憐《かれん》な花を咲かせた。夜はしんしんと静かでフクロウの鳴く声もする。田舎暮らしは時代の暗さを一時忘れさせてくれた。

次郎と正子が誰かれとなく自慢するもので、どれひとつ見てやろうといろいろな人が鶴川を訪れるようになった。近衛文麿も訪ねてくれた。そのうち秩父宮夫妻までが訪れ、子供の土産にと立派な昆虫図鑑をもらったりもした。当時秩父宮は御殿場で静養しており、妃殿下もそこで野菜作りに精を出した。次郎は彼らのために御殿場まで行ってパンを焼くかまどを作ってあげている。

鶴川に引っ越した翌年の昭和一九年八月五日、兄・尚蔵がこの世を去った。心優しい彼の愛情は、次郎や妹たちに注がれたのと同様、社会の弱者にも向けられたが、いきなり貧民窟に飛び込むという行動は暴挙に過ぎた。富裕な家の総領息子として乳母《おんば》日傘《ひがさ》で育てられた彼が、免疫のない身体で飛び込んだ時の衝撃は想像を絶するものだったろう。豊かな社会が同時に貧困を生み出していくという根深い矛盾は、ひとりで立ち向っていくにはあまりに巨大な闇の世界だった。四七歳という死は早すぎるものではあったが、魂の苦悶から解き放たれて安寧《あんねい》の境地に赴けることはむしろ幸せだったのかもしれない。

次郎は胸に大きな洞《うつろ》ができ、そこを木枯らしが吹きぬけていくような喪失感にさいなまれた。同じ時期英国に留学し、〈私も二十歳位の時にはカール・マルクスを耽読《たんどく》した経験をもっている〉（『腹たつままに』「文藝春秋」一九五二年一一月号）という次郎ではあったが、兄と違いこれ以上なく青春を謳歌《おうか》していたことに対する後ろめたさがないはずもない。みなが寝静まった頃ともなると、幼いとき足を痛めた自分を背負ってくれたことなどを思い出し、青みがかった哀しみが上げ潮のように胸にこみ上げてきて、幾晩もの夜、枕を涙で濡らした。

そんな折、細川護貞が訪ねてくれ、鶴川は急に明るくなった。敗色濃い昭和一九年一二月三日のことである。

「おお、よく来てくれたな。トモも来てるよ」

そう言って次郎は、このところ見せたことのなかったような笑顔になった。近衛ファミリーは本当に仲が良かった。牛場もこのときたまたま鶴川を訪れていた。いや、水道町の家にいたときには毎日のように顔を出していたから、〝たまたま〟というのは彼の場合当てはまらないかもしれない。近衛のお供で花柳界に出入りしたせいか、牛場は赤坂の芸者さんと結婚していた。だが子供がなかったこともあって、にぎやかな白洲家によく遊びに来ていたのだ。

「それにしてもいいところだなあ。入り口にある柿の木の枝ぶりがまたいい。まるでゴッホのデッサンのようだ」

「ゴッホときたか。さすが美術通の一家だ。言うことがちがう」

牛場や細川たちと昼食のテーブルを囲み四方山話《よもやまばなし》に花が咲いた。

「そういやあ、たいへんだったんだって？」

次郎は、細川が憲兵隊に二度も尋問《じんもん》を受けたという話を人づてに聞いていた。

「ボクのことではなくママの代わりなんだけどね」

細川は、その淡い茶色がかった大きな瞳を少し曇らせた。白皙《はくせき》の貴公子である彼は、そうした何げない表情にまで女性的な上品さを漂わせている。

「さすがに憲兵も侯爵夫人を引っ張ることはできなかったってわけか。それで？」

次郎は、憲兵隊が細川家のような上流階級にまで手を出した理由が知りたかった。

「ママはフランス語のレッスンを、ある画伯の奥さんであるフランス人女性から受けていてね。その女性と町で挨拶をしたのはなぜか、って詰問されたんだよ」

「たったそれだけ？　挨拶したとき、国の機密が漏れたんじゃないかってことか？　馬鹿馬鹿しい！」

いよいよ末期的な状況になりつつあることを実感した。食事を終えコーヒーを飲んでいた頃、遠くでかすかに空襲警報が聞こえてきた。三人が黙って空を見上げたそのはるか上空を二十数機の編隊が飛翔《ひしょう》するのを望見することができた。

「やつらこの時間になるといつも決まって飛んで来るんだ。富士山を目標にして飛んでくるもんでいつも鶴川の上を通るってわけさ」

「ここは大丈夫なのか？」

「ここに爆弾を落としたって何があるわけでなし、無駄づかいってもんだろ」

暗い世情ではあったが、仲間と過ごす時間だけが次郎にとってつかの間の息抜きであった。

細川家では白洲邸の話が大きな反響を呼んだらしく、次郎や正子が〝トノサマ〟と呼んで尊敬していた護貞の父・護立《もりたつ》（美術品コレクター、白樺派の支援者としても有名）が戦後になってから、鶴川に農家を買って週末を過ごすようになった。細川家と白洲家のつきあいは軽井沢の別荘でも同様だった。細川家の別荘は大きな西洋館で敷地は三万坪もあり、門から玄関までフランスの農村風景のような並木道が続いていた。細川護貞の息子が後に首相となる細川護熙《もりひろ》だが、細川元首相は次郎との思い出を次のように語っている。

〈私とはもちろん親子ほど年が違ったわけだが、たまたま将棋の腕前は同じくらいで軽井沢で夏などよく「おい、ひろちょっとこい」といわれて白洲邸まで将棋をさしに出かけたものである。次郎さんは大変な負けず嫌いだったから、負けそうになると「おい、ちょっと待て」「お前、ほんとにそれでいいのか、いいのか？」と威嚇《いかく》して相手の手を変えさせるのが得意だった。私はその手には乗らなかったが、私の祖父に仕えていた家令で、アダ名を田村将軍という軍人あがりの大男がいて、その将軍は図体に似合わずよく次郎流の脅《おど》しに屈して逆転負けを喫《きっ》し、それをまた次郎さんは殊《こと》のほか楽しんでおられた〉（『次郎さんの想い出』「波」二〇〇四年一〇月号）

ほほえましい情景である。細川護熙は首相在任中、次郎の孫の白洲信哉《しんや》（兼正の長男）を公設秘書にしているが、これも縁というものだろう。

吉田の身に危険が迫っていた。

このころ吉田は近衛からの依頼もあって、敗戦はもはや必至であるという内容の上申書を天皇に提出しようとしていた。ところがこの計画は軍部の知るところとなり、吉田は大磯の自宅にいるところを憲兵隊によって逮捕されるのである。吉田はまったく気づいていなかったが、屋敷に住み込んでいた東輝次《あずまてるじ》という書生が、実は陸軍中野学校出身で憲兵隊のスパイだったのだ。吉田に対する警戒はそれほどまでに厳しいものだった。

収監先は代々木の陸軍刑務所。何を聞かれても「知らん」「わからん」で頑張った。空襲は日に日に激しさを増し、昭和二〇年五月二五日には陸軍刑務所にも焼夷弾《しょういだん》が落ちた。明治神宮外苑へと逃れ、最後は目黒小学校に移された。

もうこの頃には憲兵でさえ内心は敗戦を覚悟していたに違いなく、早期戦争終結を画策していた吉田を収監している意味は失われていたはずだが、それでも彼らは吉田を起訴する計画であったという。それを救ったのが旧知の陸相・阿南惟幾《あなみこれちか》である。阿南の口添えにより証拠不十分で不起訴となった。ちなみに阿南陸相は終戦当日「一死以《もっ》て大罪を謝し奉る」という言葉を残し陸相官邸で自刃して果てた。

無事釈放された吉田だったが、青い囚人服を着たまま。永田町の屋敷（元の樺山邸）

は戦災で焼けて家族は大磯に疎開している。途方にくれた彼は中目黒を目指した。行きつけの料亭の女将さんの疎開先を頼ったのである。彼女も吉田の格好にさぞかし驚いたことだろう。そこで風呂に入れてもらい、着物に着替えさせてもらって人心地がつき、ようやく大磯に帰ることができた。

知らせを聞いて、次郎も急ぎ〝出所祝い〟に駆けつけた。玄米の握り飯一つとたくわん二切れという毎日だったためにげっそり痩せて見る影もない。その凄絶《せいぜつ》な様子に次郎は思わず涙ぐんでしまったが、吉田はけろっとした顔で収監中の話を面白おかしく語って聞かせた。

「刑務所の中は汚くてね、夜毎《よごと》ノミ、シラミ、南京虫《なんきんむし》の攻撃でおちおち眠れないのには参ったよ。掻《か》いたあとが膿《う》んでしょうがないので赤チンを塗りたくっているうち赤チンだらけの二目《ふため》と見られない姿となっちまってそのうち包帯でぐるぐる巻きにしたが、いや誰に会うわけでなし平気だったがね」

吉田はそう冗談っぽく言って笑ったが、次郎はにこりともできなかった。

「あんまり頭にきたんで憲兵が見回りに来たとき言ってやったんだ。〝おかしいではないか。本来なら君が檻《おり》の中にいて、僕が外にいるべきなんだ〟ってな」

（この人は男だっ！）

まさに百折不撓《ひゃくせつふとう》。目の前にいる好々爺然《こうこうやぜん》とした小柄なじいさんのどこにそのような胆力があるのか？　彼は吉田茂という男に惚れなおしていた。このじいさんになら、自分のすべてを捧げ尽くしてもいいと思った。

戦争も末期に入りつつあった昭和二〇年（一九四五年）五月二三日のこと、東京に大空襲があり、鶴川からも東の山向こうに、天に沖《ちゅう》していくつもの火柱が立つのが望見された。おびただしい火の粉が舞っている様はまるで金砂子《きんすなご》を撒き散らしたようで、残酷な美しさを見せていた。心配してラジオをつけると品川、五反田が火の海だという。この日投下された焼夷弾は七万四〇〇〇発を数え、三月一〇日の東京大空襲のときの倍近い焼夷弾が投下されたと言われている。

当時五反田に住んでいたのが冒頭紹介した河上徹太郎である。以前から次郎は、

「もし家が焼けたらオレのところに来い」

と言ってあったのだ。

「ちょっとテッツァンのとこ見てくるよ」

「えっ、空襲があったばかりじゃない。まだ空は少し赤いわよ」

「もし焼け出されてたとしたら、時間が経ってからじゃ可哀想だろう」

「そんなこと言って、もしまた空襲があったらどうするの」

もう返事はない。さっさと身支度《みじたく》を始めている。言い出したら聞かないことは先刻承知。正子もあきらめ、おにぎりを持たせて送り出した。

空襲のため線路はずたずたである。夜通し歩き続け、なんとか五反田に着いたのは明け方近くだった。一面に赤黒い焼け野原が広がっている。

「テッツァン！　大丈夫か？」

「次郎か？　来てくれたんだな、すまん」

河上は次郎がまさかこんなに早く、なおかつ自分のほうから来てくれるとは思いもしていない。白昼に幽霊を見たような顔をして驚いた。次郎はさっそく持ってきた水と食料を渡してやった。河上の妻はそれを伏し拝むようにして受け取った。

幸いなことに河上の家は全焼を免れてはいたが、必死の消火活動のため河上の顔は煤《すす》で真っ黒。そのうえ、いつまた爆撃があるやも知れず神経はぴりぴりとささくれ立っていた。その様子を見て次郎が号令をかけた。

「さあ、君たちが住めるように準備してあるから一緒に鶴川へ行こう」

こうして河上一家は次郎と一緒に五反田をあとにした。鶴川に着いたのは夕方のことであった。

実は正子の心配は当たっていたのだ。この翌日、東京都心部は再び大規模な空襲に見舞われた。吉田が収監されていた陸軍刑務所に焼夷弾が落ちたのはこの日のことだ。もしこの空襲に巻き込まれていたら次郎の命も危うかったかもしれない。間一髪であった。

いったん友情を結ぶと徹底して気配りをするのが白洲流である。ピアノの好きな河上のために、後日もう一度五反田に戻って奇跡的に焼け残ったグランドピアノを運んできてやった。部屋に運ぶときは近所の村人が何人も手伝ってくれ、神輿《みこし》を担《かつ》ぐようにして土間に置いた。河上は落ち着いたころ、駅一つ隣の柿生《かきお》へと引っ越していくが、それまでの二年間、武相荘に寄寓《きぐう》することとなった。自分たち同様母屋に住まわせ、別棟の六畳間を書斎として提供するという気の遣い方である。食糧難であったにもかかわらず、自分の田圃で作った米を家族と分け隔てすることなく食べさせてやった。河上はそのことを後々まで恩義に感じたが、次郎にすれば当たり前のことであった。

ある晩河上は鶴川駅から帰る途中、はるか上空にB29の編隊が飛来するのを遠望した。それが時折高射砲で撃ち墜《お》とされてくる。その様子が実に壮観で、

「いけっ、やっちまえっ！」

と応援しているうち、ついつい丘の上に腰を下ろしてしまい、帰りが遅くなってしまったことがあった。すると次郎は心配していたらしく、遅くなった理由を話すと烈火のごとく怒り、

「馬鹿野郎！　心配する者の身にもなってみろ！」

と徹底的に絞られた。河上は身をすくめるようにして謝りながらも、

（こいつは本当にいい奴だな）

と、心の中でそっと手を合わせた。

次郎は今《こん》の一家のためにも納屋を改造して戦争が終わるまで空けて待っていたという。実に友情に篤い男なのである。いったん胸襟《きょうきん》を開くとファーストネームで呼ぶ癖があったから、相手のことを友人と思っているかどうかはすぐわかった。

あるとき、所沢からゼロ戦に追われた米軍戦闘機が入り込んできて、鶴川上空で機関銃を撃ち合った。たまたま居合わせた正子や春正はこのとき、米人操縦士の顔まではっきり見たという。戦争の影は重苦しく鶴川村をも覆《おお》っていた。いち早く疎開してきた頃には腰抜け扱いされたものだが、いつしか先見の明があるとうらやましがられるようになっていた。

空襲が多くなり、戦争の終わりが近づいていることは誰の目にも明らかになってきた。すでに首都東京は一面の焼け野原である。その死者のほとんどは戦闘員ではなく一般の市民であった。黒焦げの死体がいたるところに転がり、母親が子供をかばうようにして死んでいる姿が人々の涙を誘った。

## 終戦連絡中央事務局

次郎は情報収集能力に人一倍優れていた。それは後年も発揮されるのだが、戦時中鶴川に疎開している間でさえ、どういうわけか情報は入ってきた。

日本海軍はミッドウェーの海戦で「赤城」「加賀」「飛龍」「蒼龍《そうりゅう》」という四隻もの空母を失う大惨敗を喫し、結局この痛手から立ち直ることができなかったことが敗戦の最大の要因と言ってもよかった。戦時中、この大敗は国民には知らされていなかったのだが、次郎はたまたまこの海戦に参加した大石某（大石保《おおいしたもつ》第一航空艦隊首席参謀であろうか）から聞かされ知っていた。さすがの次郎もそれを聞いた瞬間、

「えーっ！」

と思わず大きな声を上げたという。

ポツダム宣言受諾についても同様であった。当時春正が通っていた大塚の東京高等師範附属中学校では生徒の多くが日光に疎開していたが、春正は東京残留組として残

った。終戦の数日前のこと、B29が飛来し、校庭が真っ白になるほどのビラを撒いていった。手にとってみると妙なことが書いてある。

〈戦争は終わりました。皆さんの安全は保証されていますのでご安心ください〉

(何のことかな?)

不審に思った春正が持ち帰ってジャガイモ畑にいた次郎に見せたところ、土のついた手で受け取り一瞥《いちべつ》するなり、

「このことは誰にも言うな。言ったらまだ危ないぞ」

と声の調子を落として言うと、腰の手ぬぐいで流れ落ちる汗を拭き、また農作業に戻っていった。「親父はどうもポツダム宣言受諾を事前に知っていたようでした」と春正は述懐する。

そして昭和二〇年(一九四五年)八月一五日、日本は敗戦を迎えた。玉音放送を次郎は河上や正子とともに鶴川で聞いた。予期していただけに、〝やっと終わったか〟というのが正直な感想であった。次郎四三歳の夏のことである。

わが国は建国以来、他国に占領された経験を持たなかった国である。日清、日露、第一次世界大戦と、明治以降勝ち組に入り続けてきたことで、敗戦したら自分の国が

どうなるかという想像力をまったく欠いていた。為政者の多くは呆然として、自裁しようかといったことで頭がいっぱいになっていたが、次郎は逆に、この日から新たな戦いが始まるのだと心に期すものがあった。

東久邇宮稔彦王《ひがしくにのみやなるひこおう》内閣の下で近衛文麿は国務大臣に就任した。次郎は近衛に、

「オレにアメリカとの折衝役をやらせてくれませんか？」

と嘆願したのだが、近衛はしばらく考えて、

「これはきわめてデリケートな問題です。押しが強いからいいというものではありません」

と慎重な姿勢を見せた。代わって次郎を重用し始めるのが吉田茂なのだが、その前にGHQ総司令官ダグラス・マッカーサーにご登場願う必要があるだろう。

〝いざ来いニミッツ、マッカーサー、出てくりゃ地獄へさか落とし〟という軍歌「比島決戦の歌」の文句のとおり、マッカーサーがついに〝出てきた〟のである。

昭和二〇年八月三〇日午後二時五分、マニラからC－54輸送機バターン号に乗ったマッカーサーが厚木基地へと降り立った。コーンパイプに黒のサングラスというでたちでタラップの上からあたりを睥睨《へいげい》するその姿は、抵抗しようのない強大な権力の

到来を予感させるものがあった。だがマッカーサーが悠然《ゆうぜん》と構えていたのは実はまったくのポーズであり、二日前に先遣隊《せんけんたい》を上陸させて偵察を命じていたからだった。フィリピン戦線で勇猛果敢な日本軍に悩まされた経験があるだけに、本当のところは前夜も不安で眠れずズボンのポケットには拳銃を忍ばせていたのだ。彼はその点実に名優だった。

ところが厚木に到着してみると、日本軍機のプロペラはすべてはずされ、出迎えの日本軍将校もすべて丸腰。占領軍の最初の作業であるべき武装解除を、日本軍はすでに自発的に行っていた。占領の手引書には、一年間はゲリラ戦を覚悟せよと書かれていたほどだったが、何日経っても何も起こらない。静かなことがかえって不気味だった。〝鬼畜米英《きちくべいえい》〟のスローガンのもと、ヒステリックなまでに戦闘的になっていた国民はどこにいってしまったのか。キツネにつままれたようではあったが、一週間ほどして占領軍の将校たちはおそるおそる拳銃の携帯をやめた。

当時、東京の主要なビルのほとんどが戦災に遭っていた中で、第一生命ビルだけはお堀端にあったこともあり無傷で残っていた。

花崗岩《かこうがん》を使ったギリシャ風の重厚な玄関を入れば、内部はイタリア産大理石をふんだんに用いた華やかなアール・デコ調の内装をもつ風格ある建物である。暖房はもちろんのこと、地下四階に設けられたターボ冷凍機による冷房と除湿も完備され、六階の大集会室脇には、広大で豪華な大理石張りの〝日本一豪華なトイレ〟があった。マッカーサーは一目で気にいった。その瞬間から、このビルはGHQ本部と名を変えることになる。

GHQとは総司令部を意味するGeneral Headquartersの略である。連合国最高司令官（SCAP：Supreme Commander for the Allied Powers）の総司令部とアメリカ太平洋陸軍司令官の総司令部を兼ねていた。マッカーサーはこの組織の頂点に君臨したわけだが、一個人にこれほど強力な権能が与えられた例は歴史上皆無《かいむ》だと言っていいだろう。

彼の執務室はエレベーターを上がった六階。窓からは皇居を見下ろし、晴れた日には富士の秀麗な姿を遠望できた。まさに日本全体を見下ろしているような満足感に浸れる部屋であった。

マッカーサーはすでに当時のアメリカ軍の中にあって〝歩く伝説〟であった。日本軍の本間《ほんま》雅晴《まさはる》中将率いるバターン第二次攻撃で、昭和一七年三月、フィリピンから撤退する際に残した"I shall return"（私は必ず戻ってくる）という言葉はあまりに有名である。この言葉どおり彼は再びフィリピンに上陸し日本軍を掃討《そうとう》したのだ。当時六五歳という年齢は本来ならとっくに退役していてしかるべきものだったが、彼にはそうした常識は通じなかった。

その伝説は、陸軍士官学校（ウェストポイント）を九九・三三という驚異的な得点で合格したときに始まった。ちなみに二番は七七・九点だったという。そして彼は同校を平均点九八・一四という創立一〇一年の歴史の中で最高の成績で卒業した。自信に満ち溢れ、強烈な野心の持ち主であった。

「私の相談相手はワシントンとリンカーンだけだ」

という彼の有名な言葉がある。この言葉が象徴するように、自己陶酔の気があった。

彼が人生で失敗したのは唯一結婚だけである。初婚の相手はフィラデルフィアの億万長者の娘。彼がウェストポイントの校長をしていた四二歳のときのことである。彼女は再婚であった。一気に上流階級との付き合いが始まったが、彼はそれを極端に嫌った。結局離婚し、彼女は映画俳優と再婚した。だがその映画俳優とも長続きはせず、また別の男に走った。マッカーサーはこの先妻のことをけっして語りたがらなかったという。

再婚相手は母親が見つけた。マニラにいたマッカーサーに会いにいく途中の船の中で南部出身の愛くるしい娘を見つけたのだ。一九歳年下だったが、母親の推薦とあってマッカーサーは一度で気に入り再婚した。ひとり息子のアーサーはマニラで生まれている。新妻は彼のことを神のごとくに尊敬し、いつも〝元帥〟（マーシャル）と呼んでいたという。

マッカーサーの住まいは赤坂の米国大使館。朝は大使館で人と会い、九時から一〇時の間に出勤する。キャデラックに乗って裏門を出て霊南坂《れいなんざか》を下りＧＨＱへと向かった。早ければ午後二時、遅ければ三時ごろまで執務をし、それからいったん大使館に戻って遅い昼食をとって少し昼寝をするのが日課だった。フィリピン駐在時代に身につけたシエスタの習慣である。そして午後五時ごろに再びＧＨＱに現れ、ふだんは八時か九時、遅いときは一〇時まで仕事をした。それから帰って夜食をとって寝るのである。幕僚たちはマッカーサーがいる間は近くにいなくてはならない。宴会等の約束はほとんど守れなかった。

マッカーサーが第一生命ビルに入ったことにもっとも落胆したのは、おそらく東久邇《ひがしくに》内閣の外相重光葵《しげみつまもる》であったろう。彼はなんとかマッカーサーを横浜に引き留めておこうと努力していたのだが、よりによってお堀端とは。上機嫌のときでさえ渋面を作っていることで有名な彼のこと、一際《ひときわ》渋い顔をしたことは想像にあまりある。

さらに重光が驚いたことに、マッカーサーはとんでもない布告を準備していた。「日本国民に告ぐ」というその布告の内容は、①日本全域と全住民を軍事管理下におき、三権の一切の権能は最高司令官がこれを行使する。また軍事管理期間中は公用語を英語とする　②最高司令官の命令に反した者は軍事裁判によって処罰される　③米軍の軍票を法定通貨として日銀券とともに流通させる、というもの。明らかな軍政である。

この内容を知った東久邇首相は緊急閣議を招集。絶対に発令を阻止せねばならないということになり、重光外相たちが必死にGHQを説得した結果、なんとかこれを撤回させることに成功した。

そこまではよかったのだが、重光外相がその経緯をマスコミに話してしまったからたいへんだ。日本政府があたかもマッカーサーをへこませたというような内容で報道されてしまい、誇り高いマッカーサーは赤鬼のようになって赫怒《かくど》した。責任を取って重光は辞任に追い込まれたが、それだけにおさまらず、その後公職追放になり、さらには戦犯として巣鴨プリズンに収容されてしまう。虎の尾を踏んでしまうとどういうことになるかを知って、人々は震え上がった。

ここで次郎が動いた。重光の辞任を絶好の機会と捉え、近衛に対し、吉田を外相にするよう働きかけたのだ。

「重光さんの後任に吉田のじいさんを推薦してやってください。カンパクもじいさんの手腕はよくご存知のはずだ。ぜひともお願いします」

〝吉田のじいさんならオレに活躍の場を与えてくれる〟——次郎はそう確信していた。近衛は最初渋っていたが最終的には了解し、東久邇首相に推薦。こうして吉田は外相に就任するのである。ついこの間まで囚人だった人間がいきなり大臣である。吉田はまたも強運ぶりを発揮した。

予想以上の手痛い敗戦を目の当たりにして吉田の心は沈んでいたが、そんな中、元気に尻をたたいてくれる次郎の存在は頼もしいものだった。次郎は麻布市兵衛町二丁目の外相官邸に頻繁に顔を見せ、若槻礼次郎や近衛が訪問してきた折の昼食会にもしばしば同席するようになっていった。

吉田は外相就任報告のため鈴木《すずき》貫太郎《かんたろう》前首相を訪問した際、次のような言葉を贈られたという。

「戦争は勝ちっぷりもよくなくてはいけないが、負けっぷりもよくないといけない。鯉はまな板の上にのせられるとぴくりともしない。あの調子で負けっぷりよくやってもらいたい」

負けず嫌いの吉田だからこそ、鈴木はあえてこの言葉を贈ったのだろう。吉田は肝に銘じ、その後しばしばこの言葉を使うようになった。

マッカーサーが上陸して一ヵ月ほどが経った九月二七日、昭和天皇からマッカーサーを訪問したいという申し出があった。このときの会見の写真は日本人に大きな衝撃を与えた。開襟《かいきん》シャツで両手を腰に回してラフな格好のマッカーサーに比べ、天皇はモーニング姿で直立不動。どちらが占領されている側でどちらが占領している側かは一目瞭然である。第一ボタンをわざとはずすなど、すべてを計算し尽くした名優マッカーサーの演出も加わっていた。

時の内務大臣・山崎巌《やまざきいわお》は不敬であるとして、写真を掲載した新聞の発禁処分を発動したが、これに怒ったのがGHQである。処分の翌日には言論の取り締まりに関する法令を全廃させた。おさまらない山崎内相は記者を集め、

「治安維持法の精神は今後も生かしていく。したがって国体を破壊するような言動は許されないし政治犯の釈放も考えていない」

と発言した。この時代錯誤的発言に、GHQは山崎内相の罷免《ひめん》を要求してきた。

「こんなことでは責任を持って政局にはあたれない」

東久邇首相は山崎内相罷免《ひめん》要求の翌日、総辞職した。昭和二〇年一〇月五日のことであった。

一方でマッカーサーは、天皇問題に関しては合理的な計算も働かせていた。戦争中、天皇陛下のために兵士は死んだが東条英機のために死んだ兵士はいない。もし仮に昭和天皇を処刑したりしたら、いったん死人のようになっていた日本国民は再び立ち上がり、命を賭《と》してレジスタンスを展開したかもしれない。むしろ人質のようにうまく利用することが占領政策を成功に導く鍵であることを冷徹な彼はすぐに了解した。

総辞職した東久邇宮にかわって大命降下を受けたのが幣原喜重郎《しではらきじゅうろう》である。このとき七三歳。すでに過去の政治家と思われていたが、英語ができ、親英米派であることから吉田が説得して引っ張り出したのだ。吉田は幣原首相の下で引き続き外相を務めることになった。

吉田は外相就任直後から外務省の大改革を行っていた。終戦直前、軍部とともにソ連に講和の労をとってもらうよう動いていたセンスのなさに、今のままの外務省ではダメだと痛感し、局部長以上に辞表を書かせて人事を一新した。そのうえで吉田は、昭和二〇年一二月、次郎を終戦連絡中央事務局参与に任命するのである。大抜擢《だいばってき》だった。

「戦争に負けて外交に勝った歴史もある。ここからが正念場だからな」

吉田は次郎に期待をこめてそう語った。

終戦連絡中央事務局（終連）とは、政府とGHQの間の折衝《せっしょう》を行うために新設された役所である。自治権を取り上げられ、自主外交も認められなかった当時にあってみれば、この終戦連絡中央事務局こそがあらゆる役所の中でもっとも重要な権能を担うことになった。そのため設立に当たっては各省から俊秀が集められた。一方、白洲次郎の名は中央ではまったく無名である。実績もない次郎がいきなりこうした重職に就くことには、とりわけ官僚たちの間で強い反発があった。

終連政治部長の要職にあった外務省出身の曾禰益《そねえき》などは、いきなり次郎が来たことに内心腹を立てていた人物のうちのひとりだった。そうした不満の声があがることを知っていてなお、吉田は敢えて次郎を迎えたのだ。

舞台は整った。斜《はす》に構えることも韜晦《とうかい》する必要もなく、全身全霊でぶつかっていける場所を見出したのだ。嬉しくて思わず武者震いがした。

（アメリカが何様だというんだ！）

次郎の精神構造の中には米国を軽く見る傾向があった。それは英国人が米国のことを〝所詮《しょせん》彼らは成り上がりだ〟と軽侮《けいぶ》するのにも似た感情であった。敗戦後とかく卑屈になる日本人が多かった中にあって、次郎は異色の存在であった。

当時、終連は日産館（現在の日比谷セントラルビルの場所）に入っていた。財閥解体される前の日産コンツェルンの本部があったビルであり、日本水産もここに入っていたから懐かしい建物である。

仕事のことはいっさい正子には話さなかったが、彼女もそばにいて今度の仕事に対する次郎の意気込みを肌で感じ取っていた。朝起きると、すごい勢いで飛び出していった。鶴川の自宅には週末しか帰らなくなり、それ以外は麻布の外相官邸で寝泊まりすることが多くなった。官邸には次郎とGHQをつなぐ内線電話が架設されており、夜中でも容赦《ようしゃ》なく呼び出しの電話がかかってきた。一日の睡眠時間は四時間ほど。最初のうちはそれでも週末は休めたが、やがて忙しくなると日曜日も働きづめになっていった。ちょっと気を抜くと通りの悪い下水道のように仕事が溜まっていく。それこそ文字どおり〝寝食を忘れて〟働いた。

給料は低く、次長でも三百数十円（当時の国産ウィスキー〝サントリー白札〟が一本二八円の時代）だったというから参与の彼はもっと少なかったにちがいない。間違いなく彼のキャリアのなかでもっとも低い給料だったろうが、そもそも使う時間がなかったので困らなかった。

次郎は驚くほどすみやかに彼ら（ＳＣＡＰ）の中に入り込んでいった。そのため、

「彼はすごい。ジャパニーズではなくスキャパニーズ（Scapanese）だな」

とＧＨＱ内部でも驚きの声が上がった。

次郎の最大の交渉相手がＧＨＱ民政局（ＧＳ：Government Section）である。彼が指摘していることだが、〝民政局〟という日本語への翻訳は〝占領軍〟を〝進駐軍〟と呼んで国民のショックをやわらげたのと同じであり、本来は読んで字のごとく〝統治する〟（Govern）ことを目的とした部局であった。

〝統治〟の主眼は、日本を民主的な国家に変貌させること。民主化といえば聞こえはいいが、二度と戦争を起こせないよう骨抜きにすることに尽きた。この民政局を率いたのが局長のコートニー・ホイットニー准将と行政公職課長のチャールズ・ケーディス中佐である。

このふたりは後々まで次郎の宿敵として立ちはだかる人物でもあり、少し詳しく触

れておくことにしよう。

ホイットニー民政局長は一八九七年生まれだから、当時四九歳と次郎より五つ年長になる。コロンビア・ナショナル・ロースクール出身の弁護士で法学博士。軍籍に入っていたが退官して、一九二七年から四〇年までをマニラで弁護士としてすごしていたところ、そこに駐留していたマッカーサーの知遇を得て軍隊に復帰した。

マッカーサーに対する献身ぶりは伝説的である。ものの考え方から筆跡に至るまでほとんど見分けがつかないほど一体化し、「どこでマッカーサーが終わり、どこでホイットニーがはじまるかわからない」と言われるほどであった。あらかじめの断りなしにマッカーサーの部屋にノックだけで出入りできたのは、GHQ広しといえども彼ひとりであった。だが彼らの親密さへのやっかみもあってか、GHQ幹部の中で彼に好意を抱く者はほとんどなく、仲間内では〝白い脂肪〟とだぶついた身体を揶揄《やゆ》されていた。マッカーサーと一心同体であることが、彼の権威のすべてであった。

一方のケーディスは当時四〇歳と次郎より四つ年下。ニューヨーク州で生まれ、コーネル大学とハーバード・ロースクールで学んで弁護士資格を取得。ルーズベルト政権下の公共事業局、財務省顧問、臨時国家経済委員会委員を歴任してニューディールの空気を胸いっぱいに吸い込んでいた。大戦中はヨーロッパ戦線で活躍し、南仏に進駐して民政を担当している。その腕を買われて第一陣で東京入りし、ニューディール政策をこの日本という真っ白なキャンバス（彼はそう思っていた）の上に描きたいと希望に胸膨《むねふく》らませていた。

中背で細身、色白で髭《ひげ》の剃《そ》り跡《あと》が青々している。眉《まゆ》が太く笑うと目じりに細かいしわができたが、それがまたなんとも言えず魅力があった。彼は後にたいへんな女性スキャンダルを巻き起こすのだが、それはこの端正なマスクとも関係していたに違いない。シャープな頭脳を持つ彼は、しだいに民政局の中で大きな存在感を示していく。

〝いつも頭の中で何かがひらめいているようだった〟と、当時を知る複数の人間が証言しているほどの切れ者だった。

当初は行政公職課長だったがしばらくして局次長に昇格。階級も中佐から大佐へと昇進した。彼がユダヤ人だったことも忘れてはなるまい。ケーディスという名はヘブライ語の〝カーデッシュ〟（聖者の意）に由来している。ナチスドイツによるユダヤ人弾圧は当然のことながら彼の心に暗い影を投げかけていた。知り合いの従軍カメラマンに頼んでユダヤ人虐殺の写真を取り寄せ、三冊の分厚いアルバムにして大事に持っていたという。

民政局はマッカーサーの執務室と同じ六階にある。ホイットニーだけは個室が与えられていたが、その他の局員は大部屋を執務室としていた。この部屋は大集会室で六階と七階が吹き抜けになっており、大きさはちょうど学校の講堂くらい。そんな大きな部屋に机がぎっしりと並び、すべてが廊下側を向いている様子は壮観だった。

ケーディスも局次長になってからは個室をあてがわれるが、当初は大部屋の住人だった。机のそばの壁には、漢字で〝民主主義〟と書いた掛け軸が飾られ、戦時中に特高警察が拷問《ごうもん》に使っていたという竹刀が置いてあった。おそらく当初の彼の思いは極めて純粋なものだったのだろう。

（〝敵を知り己を知らば〟だ、とにかく情報を集めなければ……）

次郎はそう考えた。当時民政局は矢継ぎ早に指令を出していたから、それを事前にキャッチして対策を立てておかないと大混乱を生じかねない。彼はほとんど動物的なカンで、民政局の陰の実力者がケーディスであることをすぐに見抜いた。本当は秘書役の将校を通さないと面会できない規則なのだが、大部屋の裏口から入ってきては、

「ミルクマンです。ミルクの御用はありませんか？」

と言いながら近づいていった。当時の英国の会社では三時ごろになるとミルクマンが鈴を鳴らしながら紅茶とクッキーを持ってオフィスを回る習慣があったのだ。

そのうち次郎は受け入れられ、「明日農地改革指令が出る」とか「次の公職追放の対象は誰か」といった情報を入手できる関係になっていった。

「ほら、持っていきなよ」

しばしばケーディスは煙草を一カートンくれたりもした。次郎がヘビースモーカーであることを知っていたのだ。次郎はアメリカ煙草ならラッキーストライク、日本の煙草なら両切りピースを好んだ。ケーディス自身は吸わなかったが、次郎のためにPX（Post Exchange：将校専用の売店）で買ってきてやったのである。次郎もそのうち接待費の予算枠をもらい、逆に高価な葉巻やサントリーのオールドを民政局内の局員たちに配って歩いたりするようになった。

これが彼らにとって最初で最後の蜜月《みつげつ》であった。

そうした努力にもかかわらず、次郎はけっしてGHQ内で評判がよかったわけではない。口頭での指示を嫌い、

「細かい点に齟齬《そご》があってはたいへんだから、指示はすべて文書にしてくれませんか」

と言って嫌がられ、“Difficult Japanese”（扱いにくい日本人）と呼ばれていた。文書でやり取りをすることは、ビジネスマンだった次郎が体得した身を守るためのすべで

あった。

おかしいことはおかしいと、はっきりものを言った。宮澤喜一《みやざわきいち》元首相は当時を振り返って、

「占領期間中、白洲さんはとにかくよく占領軍に楯《たて》ついていましたよ」

と述懐している。しばしば大喧嘩《おおげんか》にもなる。日本語は口の中でこもったようなしゃべり方をしていたが、英語での喧嘩はお手のもの。

彼の英語のうまさに感心したホイットニーが、

「貴方は本当に英語がお上手ですな」

とお世辞《せじ》を言ったとき、次郎が、

「閣下の英語も、もっと練習したら上達しますよ」

と切り返したというエピソードは有名である。

日本語は訥弁《とつべん》であるにもかかわらず英語は流暢《りゅうちょう》だというのはどうしても合点《がてん》がいかなかったのだが、斯界《しかい》の権威である日本大学医学部先端医学講座の泰羅雅登《たいらまさと》教授にお尋ねしたところ、大脳生理学的には十分ありえるということであった。ただ複数言語をどちらもネイティブとして学習した場合に多い現象だということなので、次郎の英語はよほど早いうちから身についたものだったに違いない。もっとも、流暢ではあ

ったが激してくると右上唇が上がってくる癖は同じで、外国人にも聞きづらい話し方ではあったようだ。

アメリカ人はあだ名が大好き。昭和天皇のこともチャーリー・チャップリンに似ているといって遠慮会釈《えんりよえしやく》なく〝チャーリー〟と名をつけてしまったほどである。次郎の場合、彼らと接する時間が長かったので、あだ名はいくつもついたが、そのひとつに〝Mr.Why〟というのがある。〝どうしてだ？〟としつこく迫ってくるからで実に彼らしい。

このころ、次郎はいやな光景をしばしば目にしていた。ＧＨＱは戦前の軍閥、財閥にメスを入れたが官僚組織にはほとんど手をつけなかった。官僚の持つ行政機能をそのまま利用しようとしたのである。そしてあろうことか役人の多くは、さしたる抵抗も見せずＧＨＱの言いなりで動くようになりだしたのだ。

「軍部がはびこればこれに頭を下げ、ＧＨＱが実権を握ればすぐに尾を振る。〝巾着切《きんちやつき》り〟（スリのこと）みたいな役人ばかりじゃねえか！」

虫酸《むしず》が走った。吐き気を催すような嫌悪感でいっぱいになった。彼の官僚嫌いはここに原体験を求めることができるだろう。

当時吉田は、ホイットニーには極力会わないようにしていた。

（マッカーサーと天皇陛下や幣原首相は本来対等な相手ではないはず。対等なのはアメリカ大統領だけだ。だからわしがマッカーサーの相手をしなければ）

そう自分に言い聞かせ、日本が軽んじられないよう踏ん張ったのだ。その胸中が痛いほどわかった次郎は、ケーディスのみならずホイットニーまでをカバーしなければならなかった。いやそれどころか、マッカーサーにも会おうとした。なんとか吉田を支えようという執念がそう駆り立てたのだ。だがそうした行動はケーディスたちの不興《ふきょう》を買った。

ＧＨＱは次郎のことを深く知るにつれ、彼が単に押し出しの強いだけの男ではなく権謀術数《けんぼうじゅつすう》に長《た》けた侮《あなど》りがたい人間であることに気づいていく。そのつかみどころのなさから、

「やつは“Sneaking eel”（こそこそ動くうなぎ）だから気をつけろ」

とささやかれるようになっていった。

最初のうちこそ猫をかぶって彼らに近づき“Scapanese”と言われた次郎も、やがてタフネゴシエーターぶりを見せ始めて“Mr. Why”とか“Difficult Japanese”と言われるようになり、ついには本領を発揮して“Sneaking eel”とまで言われるようになった。こうしたあだ名の変遷こそが次郎の戦いの軌跡だった。

判断のひとつひとつが、日本の復興と独立を早めもすれば遅らせもする。毎日が、崖っぷちに足を踏み出すような緊張との戦いであった。孤独な重圧が次郎の上に覆《おお》いかぶさっていた。

## 憤死

マッカーサーは敗戦で呆《ほう》けたようになった日本国民の口を大きく開けさせて、心の隙間《すきま》にアメリカ流民主主義を流し込んだ。〝自分たちは戦争に勝ったのだからアメリカイズムこそ世界でもっとも優れている〟――無邪気なほどの単純さで彼はそう考えた。そのためには大日本帝国憲法に代わる民主的憲法が必要だった。ただ当初、改正は日本のイニシアティブで進められるべきだと考えており、そうした中、白羽の矢を立てられたのが近衛文麿だった。

昭和二〇年（一九四五年）一〇月四日夕方、近衛は通訳の奥村勝蔵《おくむらかつぞう》とともにマッカーサーを第一生命ビルに訪ねたが、その折、マッカーサーは近衛に対し、

「今日は決定的なことを申し上げる」

とわざわざもったいぶった前置きをした上で、

「近衛公は世界を知り、コスモポリタンで、年齢も若いのだから、自由主義者を集め

て帝国憲法を改正するべきでしょう。できるだけ早く草案を作成して新聞に発表するべきだ」

と憲法改正の必要性を強く説いた。

会談のあと、近衛は荻窪《おぎくぼ》の自宅へともどってきた。この屋敷は、大正天皇の侍医頭であった入沢達吉《いりさわたつきち》博士が別荘としていたものを買い取り、西園寺公望に〝荻外荘《てきがいそう》〟と名前をつけてもらったもの。南斜面の高台で見晴らしのいい場所にある。（杉並区荻窪二丁目四三番に現存）

マッカーサーが語った「近衛公は世界を知り、コスモポリタンで」という言葉は、近衛のことを戦争犯罪人どころか高く評価して期待していると言っているわけで、一種の〝免罪符《めんざいふ》〟を手に入れたようなものであった。近衛はふだんめったに喜怒哀楽《きどあいらく》を表情に出さなかったが、この日は屋敷の玄関で出迎えた牛場にも「はっきりとわかるほど晴れ晴れと嬉しそうな様子」であったという。

さっそく近衛は、京大時代の恩師である憲法学者の佐々木惣一《ささきそういち》に声をかけ、大石義雄《おおいしよしお》京都帝大教授などを含めた憲法調査会を編成。天皇制にも関係することだからと宮内省を説得し、この目的のために内大臣府御用掛の発令を受けた。

佐々木は東大の美濃部達吉《みのべたつきち》と並び称される憲法学の権威である。謹厳な人物としても知られていた。昭和八年の滝川事件に際し、官憲の弾圧に抗議して京大を去り、立命館大学に移って総長に就任していた。

一方政府はというと、そもそも首相の幣原自身が改正に消極的であった。「GHQはすでに天皇陛下をしのぐ絶対的権力を握っており、戦前の憲法や法律などに関係なくどんな命令でも出すことができるわけだから、憲法だけ優先して改正する必要などないではないか」というのがその理由であった。

だがそこで黙っていなかったのが国務大臣の松本烝治《まつもとじようじ》である。日本の法曹界を背負って立っていると自負していた松本にとって、近衛の動きは看過《かんか》できなかったのである。事実、昭和一三年の商法改正は彼の独《ひと》り舞台であったし、専門外の憲法にも一家言あった。

「このまま政府が何もせずにいるならば、内閣の運命が左右される恐れがあります。早急に手を打たなければなりません」

松本が閣議でそう強硬に主張したため幣原も重い腰を上げ、閣内に松本を委員長とする憲法問題調査委員会を設置。委員には宮沢俊義《みやざわとしよし》東京帝大教授、清宮四郎《きよみやしろう》東北帝大教授、河村又介《かわむらまたすけ》九州帝大教授など憲法問題のスペシャリストが名を連ね、近衛たちと対峙《たいじ》する形となった。

宮内省と内閣が別々に憲法改正案を作成するというこの不可解な事態が、政府の混乱ぶりを示している。

松本は六八歳。吉田より一年年長である。ちなみにこの当時、首相の幣原は七三歳であった。烝治《じょうじ》の名は、鉄道庁長官だった父親がジョージ・ワシントンにちなんでつけたものである。元東大教授で専門は商法。その活躍は学界にとどまらず、満鉄副社長、第二次山本内閣で法制局長官、斎藤内閣で商工大臣を歴任。弁護士でもあった彼は、多数の会社の監査役、相談役を務め、実務に精通していた。次郎が勤めていたジャパン・アドバタイザー社の顧問弁護士もしていたことから、次郎とは旧知の仲である。周囲の松本に対する人物評は、〝頭がよくて〟、〝自信家〟だという点でことごとく一致している。

松本たちの動きをよそに近衛は張り切っていた。

外国人記者とのインタビューではけっこう思い切ったことを言っている。次郎は通訳として同席したが、こんなに明るくて元気な近衛を見たのは初めてだった。

「新しい憲法では天皇からほとんどすべての大権を取り離す」

「天皇退位の条項を挿入することもありえる」

宮内省の意を受けているとは思えない大胆な発言も飛びだして周囲をはらはらさせた。

一〇月二二日の夜、次郎は牛場とともに近衛や佐々木博士を囲んでの会食に加わった。佐々木博士は一両日中に箱根宮ノ下の奈良屋旅館へ憲法草案執筆のために出かけようとしており、この会食はいわばその壮行会であった。佐々木がいかに気負っているかは周囲にも痛いほど伝わってきた。佐々木の気持ちをほぐそうとみな気を遣い、さしさわりのない話題で時間は過ぎていった。ところがここで、それまで黙っていた次郎が初めて口を開いたのだ。

「博士、旅館もいいですが、ぐずぐずしていると間に合わなくなりますからね」

その場にいた人々の箸《はし》を持つ手が止まった。部屋の空気が一瞬にして凍りついた。

〝カン〟の鋭い次郎には、日本独自の憲法案を急がないと、やがてＧＨＱが自分で動き出すのではないかという気がしてならなかった。そのまま楽しい時を過ごして波風を立てないこともできただろうが、ことの重要さゆえ言わずにはおれなかったのだ。

佐々木博士は一代の碩学《せきがく》である。気位の高いことこの上ない。当年とって六七歳。気難しい博士をなだめすかしてようやくやる気にさせたのだ。案の定、顔色がさっと変わり、次郎のほうに向きなおると、

「何をおっしゃいますか。かりにも一国の憲法を吟味するのです。簡単にお考えになってはこまります」

と静かな口調ながら厳しい調子で言い返した。座は静まり返っている。いつも冷静な近衛の表情までもがこわばっていた。次郎はまだ何か言いたげである。

（まずいっ！）

そこは気配りのできる牛場のこと、絶妙のタイミングでふたりの間に割って入った。

「おい、ジロー」

わざと酔ったふりをしながら徳利《とっくり》を振り上げて次郎の注意をそらすと、別の話題をふり、まるで何事もなかったかのようにきれいにその場を収めたのだ。

当時、米国の新聞記者は重要な存在だった。米国の世論やGHQに彼らの書く記事が多大な影響を与えるのだから当然だろう。次郎はその記者たちとの応対をしばしば任されたが、そこで感じたのは近衛の不人気である。米国のジャーナリズムは近衛の戦争責任を非常に重いものと捉えていた。そこで次郎は、近衛の憲法改正の動きはほかでもないマッカーサー自身の指示によるものだということを盛んに宣伝したのだが、記者たちはけっして次郎たちの味方ではなかったのである。

〈少年院の規則を決める人間にガンマンを選んだようなものだ〉（一〇月三一日付「ニューヨーク・ヘラルド・トリビューン」社説）と、戦犯容疑の濃い近衛を重用するマッカーサーに批判的な記事が掲載され、それはやがてマッカーサーの耳にも届くことになる。驚いたことに、マッカーサーはここで態度を豹変《ひょうへん》。なんと近衛を切り捨てるのである。

一一月一日、GHQは、

――近衛は憲法改正を行っているが、これはGHQの関知せぬことである。

と発表。近衛をたきつけた日から一ヵ月も経っていない。佐々木の壮行会の実に一〇日後のことであった。このことを知ったときの近衛の表情を、牛場は一〇年後に回顧して、

〈近衛の凄いまでの表情は私の目の前にはっきりと、まだ見える〉

とつづっている（『風にそよぐ近衛』「文藝春秋」一九五六年八月号）。

いいように使われた挙げ句、風向きが変わるとポイッと捨てられた。かつて一国の首相を務めた人物を相手に、そんなことがあっていいものだろうか。

「次郎、どうにかならんのか、オレはカンパクが可哀相で見ておれん」

牛場は引き絞るような声で次郎に思いをぶつけた。

「オレだってあの話を聞いた瞬間、すぐ近衛さんの顔が浮かんださ。とにかくマッカーサーって野郎は、アメリカ国内での人気取りしか考えちゃいないんだから。大統領になりたくってしようがないんだよ。そのたび日本政府は右往左往させられるんだ」

次郎は吐き捨てるようにそう言うと、唇をかみ締めた。

それでも近衛は作業を続けた。次郎の危惧したとおり、佐々木は慎重な上に保守的だった。

「多少政治的考慮も払ってもらわねば」

と言われると、

「私の学者としての良心が許しません。それなら京都に帰らせてもらいます」

と席を立つこともあったという。結局できてきたものを見た近衛はこれではだめだと判断し、佐々木には改正案をご進講の形で上奏してもらうこととし、近衛は別途憲法改正案を上奏することにした。

両案の主な相違点は、①佐々木案が天皇大権を認めているのに対し近衛案は認めず、総理大臣が奏請《そうせい》した事項に対して承認を与える権限のみを有するとした点②佐々木案は枢密院《すうみついん》に準じるものを残しているが近衛案では立法権を制限してしまうという理由で廃止している点　③佐々木は天皇の統帥権《とうすいけん》を認めているが、近衛は自らの苦い経験にかんがみ、国務と統帥をすべて総理大臣に集中させている点。要するに佐々木案は明治憲法からほとんど一歩も出ていないのに対し、近衛は開戦にいたった教訓を新しい憲法に盛り込もうと努力していたことがわかる。

だがこうした近衛の頑張りにもかかわらず、GHQは佐々木、近衛両案ともに一顧《いっこ》だにせずに黙殺。一一月二四日、マッカーサーの指令で内大臣府が廃止されるという事実上の憲法調査会解散命令が下り、近衛の憲法改正作業は打ち切りとなるのである。後にケーディスは、

「近衛公が独自に憲法案を作成されていたことはまったく知らなかった」

とインタビューで答えているが、当時の状況からしてそんなことはありえない。

近衛の努力は報われなかった。それは同時に、戦犯指定の危険が高まっていることを意味していた。一二月二日、梨本宮守正《なしもとのみやもりまさ》、平沼騏一郎《ひらぬまきいちろう》、広田弘毅《ひろたこうき》元首相の逮捕が発表となり、そしてついに一二月六日の夜、静養先の軽井沢にいた近衛のもとに、外務省から戦犯指名された旨の電話連絡が入るのである。電話口に出た近衛はその知らせを聞くとさっと顔色が変わり、大声で相手の外務省係官を怒鳴りつけた。酔っていた

こともあったが、こうした激しい感情を他人に見せたのはおそらく彼の人生で初めてのことではなかったか。

牛場と次郎はしばしば吉田外相のところに集まり、善後策について語り合った。吉田は、

「東郷茂徳《とうごうしげのり》元外相の巣鴨入りも病気で延期になっているだろう。病気だと言って東大病院に入院させるんだ。あとは引き受ける」

と知恵を授けた。次郎は牛場と相談し、一五日の晩、柿沼昊作《かきぬまこうさく》、大槻菊男《おおつききくお》という東大の内科と外科の教授の診察を受けさせている。近衛は若いころに結核をわずらって胸に影があったし、この年の夏に長大なサナダ虫が出てまだ駆除《くじょ》が十分にすんではいなかった。両教授は、

「医師の良心に照らしても〝静養の要あり〟と十分診断書を書ける状態です」

と言ってくれた。

「先生方もこうおっしゃっています。入院しましょう」

必死に勧める牛場に対し、近衛は片頬にかすかな微笑を浮かべながら、

「入院はやめましょう」

と静かに言った。

――近衛が自殺を決意したのはこの瞬間だったのではないか。

そう牛場は述懐している。

〈近衛という人は……貴族的な、あまりにも貴族的な人だった。お前達などには一指も触れさせせないという反面があった。……どんな理由からでも監獄へ入るなどとは彼には考えられないことだった。彼の体内を流れる血がそれを許さなかったのだ〉(牛場友彦『風にそよぐ近衛』)

近衛が自殺する前日の一二月一五日のこと。彼は親しい友人たちを夕食に招待した。その中に次郎も含まれていたのだが、彼はせっかくの誘いを断っている。

(オレは〝最後の晩餐《ばんさん》〟なんかにはとても出られない……)

カンの鋭い次郎には、この夕食会がどういう目的で開かれるものかが痛いほどわかったのだ。終戦連絡中央事務局にいた次郎のところには近衛に関する情報が次々と入ってくる。

(ほかの戦犯指定者は収監される前に寝具などの準備をしているのに、近衛さんはいっこうにそうした様子がない)

その意味するところは明らかである。その日は土曜日で珍しく夕方には帰宅していたが、次郎は帰るなり自室にこもったきり。自分の〝カン〟を、誰かに伝えるべきか悩んでいた。他人の大きな不幸を前にすると感情移入が激しくて、急に意気地がなくなってしまう。表面上の豪傑ぶりとは違って、擦《す》り傷で赤くなった皮膚のように繊細な神経の持ち主なのだ。目の中にまつげが入った時のように落ち着かない。逡巡《しゅんじゅん》した末、夜になって思い切って松本重治の家に電話をかけた。

「カンパクはどうしても巣鴨プリズンに行く様子がない。自殺するのだろうか……」

電話するのがやっとの次郎に代わり、これを聞いた松本はすぐ行動に移した。細川は九州へ旅行中で不在だったため、ともかく牛場を誘って荻外荘へと急いだ。

そのころ近衛は、作家の山本有三《やまもとゆうぞう》や後藤隆之助《ごとうりゅうのすけ》（近衛のブレーンのひとり）らと応接間で話しこんでいた。珍しいことに近衛は皆にウィスキーをついで回ったという。おそらく〝別れの盃〟のつもりだったのだろう。

到着するとすぐ、松本たちは近衛を別室に呼び出し、そのまま二時間ほども自殺の非を滔々《とうとう》と言って聞かした。近衛は終始無言だった。

近衛の入浴中、牛場は次男の通隆《みちたか》に言って衣類を全部調べさせたりもした。だが夫人はもうあきらめていた。通隆が一緒に探そうと持ちかけても、

「私はお考えのとおりなさるのがいいと思うから探しません」

と言って断った。刀剣や薬物のたぐいはいっさい見つからなかった。そして午後一

一時すぎ、近衛は、

「もう寝るから水を用意してくれ」

と言って夫人に水差しを用意させた。近衛はいつもひとりで寝る。近衛の寝室は中庭に面した一二畳の和室。夫人は隣室である。来客がひとり、またひとりと帰り、牛場と松本のふたりも近衛の隣室で寝ることにした。

(あれだけ探して何もなかったんだから大丈夫だ、大丈夫だ)

牛場はそう自分に言い聞かせながら、湧き上がってくる不安と戦っていた。

この夜、息子の通隆は、

「一緒に寝ましょうか」

と近衛に声をかけたが、

「人がいては眠れないから」

とやんわり断られている。その代わり、

「少し話していかないか」

と言われ、遅くまで近衛の部屋で話しこんだ。近衛は盧溝橋事件以来の自分の活動や日本の将来について、まるで言い残すようにして熱く語ったという。

「何か書いてください」

そう通隆が手近にあった鉛筆を渡すと、近衛は今の自分の心境をつづった。それはいつに似ず殴り書きのような文字であったが、結局それが彼の遺書になった。通隆が部屋を出たのは午前二時ごろ。

「明日（巣鴨へ）行っていただけますね」

と最後にそう言って念を押すと、近衛は暗い顔をしたままで何も答えなかったという。そして午前六時、寝室にまだ明かりがついているのを不審に思った夫人が部屋に入ってみると、布団の中で近衛はすでに息絶えていた。夫人は驚かなかった。

「友さん、やっぱりやりましたよ」

冷静な声で隣室の牛場を呼んだ。その光景を目にした牛場と松本は全身の力が抜けて膝から崩折《くずお》れ、しばし呆然と腰が抜けたようにその場から動けなくなってしまった。独特のにおいがする。枕元の茶色の小瓶《こびん》に目が留まった。青酸カリだった。長女の昭子《あきこ》はその瓶に見覚えがあると言っており、以前から用意していたものであったらしいが、どこに隠していたかは結局わからずじまいであった。享年五四。早すぎる死であった。

明くる一六日は日曜日である。それは本来なら、近衛が戦犯として巣鴨プリズンに入所するべき日であった。知らせを聞いて早朝から内外の新聞記者が駆けつけた。ジープや自動車に踏みにじられて玄関先の霜柱はみるみるぬかるみに変わっていく。家の周囲を物々しくMP（Military Police：憲兵）の鉄かぶとと巡査のサーベルが固める中、午前八時、所轄《しょかつ》の杉並署による検視が行われた。一歩も中に入れてもらえず苛《いら》つく記者たちに、牛場が冷静に対応した。できることなら近衛のそばにじっと座っていたかっただろうが、状況はそれを許さなかった。

さて次郎である。知らせはすぐに届いた。暫《しばら》くの間、布団をかぶったままで自室から出る気力さえ起こらなかった。予感がはずれることをひたすら祈っていたが、それも今となってはむなしかった。

（近衛さんには本当にお世話になった。最後の挨拶をせねば……）

ようやく昼ごろになり、意を決して弔問《ちょうもん》に出かけた。荻外荘は相変わらず黒山の人だかりである。人垣をかいくぐるようにして邸内に入った。牛場がいた。次郎の姿を見つけて近づいてきたが、お互い言うべき言葉を持たなかった。

「ご苦労だったな、近衛さんは寝室か」

「ああ……実に安らかな顔をしておられるよ」

これまでの牛場の苦労を思うと目頭が熱くなって顔が上げられなくなった。軽い会《え》釈《しゃく》だけを残すと近衛の遺骸《いがい》が安置されている寝室へと向かった。白装束の近衛は金屏《きんびょう》風《ぶ》を背に北向きに寝かされている。枕頭《ちんとう》の千代子夫人と次男・通隆、文麿の弟・秀麿《ひでまろ》にお悔やみを伝え、顔にかけられた白い布をとると、いつもの顔が眠っているとしか思えない様子で現れた。少し青味こそ帯びていたが端正な容貌は生前のままの静かな死に顔であった。

（予期できた死だった……自分も近衛さんの死には責任の一端がある）

そう思うと胃のあたりが分銅を飲み込んだように重くなって、口の中がしきりと乾いた。近衛の最期の場所となった部屋の中をぐるっと見回してみた。中庭越しに遠く白扇《はくせん》倒《さかしま》に懸《か》かる富士が見える。正面にガラス張りの書棚、後ろに床の間と違棚《ちがいだな》があり、違棚の上の小さな置き時計が九時三五分を指したまま止まり、主人がネジを巻いてくれるのをじっと待っていた。

書棚に並んだ本の背表紙を見てはっとした。『憲法述義』（上杉慎吉《うえすぎしんきち》著）、『政治及政治史研究』（蠟山政道《ろうやままさみち》著）、『憲法撮要《さつよう》』（美濃部達吉著）、『逐条帝国憲法講義』（清水澄《しみずとおる》著）等々。それらは近衛の人生最後の仕事となった憲法改正のための資料であった。

（無念だったでしょう……）

いっぱいに水の張ったダムが決壊するように感情の高ぶりが奔出《ほんしゅつ》してきて、それまでなんとか我慢してきた嗚咽《おえつ》が食いしばった歯の間からあふれ出し、次郎を押し流した。あんなに気位の高かった近衛がGHQに振り回されたあげくに悲惨な最期を遂げた。哀れでならなかった、悔しくてならなかった。

近衛の死後、あろうことかGHQは、

〈近衛は日本政府の行政機構改革を研究するように言ったのを、通訳の誤訳のために憲法改正と考えたのだ〉

という噂を意図的に流した。自分たちの非を隠蔽《いんぺい》しようとしたのである。次郎はGHQに正義はないと確信した。マッカーサーは後に自らの回顧録の中で憲法改正に多くの紙数を割いたが、近衛についての言及はまったくなかった。

近衛の死からわずか一週間ほどで、日本は敗戦後最初のクリスマスを迎えた。次郎はまだ心の傷も癒《い》えず鬱々《うつうつ》とした日々が続いていたが、そんなとき、マッカーサー一家に天皇陛下からのクリスマスプレゼントを渡すという話が持ち上がった。元帥には毛筆セット、夫人に雛人形、元帥の息子アーサーには人形とキャンディ。吉田外相の名代として、次郎がそれらのプレゼントをマッカーサーの部屋に持っていくことになった。

米国大使館を訪れると、天皇の名代だということでマッカーサー本人が出迎えてくれた。部屋に通されるとすでに机の上は贈り物で一杯になっている。

このとき、マッカーサーが、

「そのあたりにでも置いておいてくれ」

と言い、それを聞きとがめた次郎が顔色をかえて叱りつけた話については冒頭で触れた。このとき次郎が怒ったのは、天皇に対する不敬だけが理由ではなかった。近衛を振り回した挙げ句死に追いやったマッカーサーの横暴に対する抑えようのない義憤があったからこそ、次郎はこの絶対権力者に対して大胆にも声を荒らげて怒ったのだ。

(見ていてくれましたかカンパク、あの野郎に一矢《いっし》報いてやりましたよ)

大使館を後にした時、次郎は誰にも見られないようにそっと目頭をぬぐった。

吉田はその後、未亡人の生活の足しになればと、近衛の荻外荘を借りて時々寝泊まりに使うようになった。

「近衛閣下の亡くなった部屋で寝起きされるのは気持ち悪くないですか？」

と尋ねられると、

「幽霊が出たところで、近衛のお化けなんか怖くないわい」

と言って笑い飛ばした。口は悪いが、そういったさりげないやさしさは吉田と次郎に共通したものである。

近衛の死は牛場をぐっと老けこませた。その後彼はしばらく日本輸出入銀行の監査役を務めた後、アラスカパルプ会社の副社長となったが、公の場にはあまり出ず、あとは余生だと達観していた感がある。〝君辱《きみはずかし》めらるれば臣死す〟といった心境だったに違いない。

## 〝真珠の首飾り〟——憲法改正極秘プロジェクト

昭和二一年（一九四六年）一月四日、GHQ民政局は軍国主義者と認定された人々の公職追放令を発令した。容赦はなかった。幣原内閣の現役閣僚中五人までもが追放されるという事態に、政府内には無力感が漂った。

公職追放の是非をめぐっては、GHQ内でも民政局（GS）と参謀第二部（G2：General Staff Section II）のヘッドであるチャールズ・ウィロビー少将との間で激論が戦わされた。G2とは治安・諜報をつかさどる部隊である。ウィロビーは、

「このように徹底的な追放を行えば日本は大混乱に陥ってしまうだけだ。赤色革命を起こす可能性だってある。追放は最高指導者だけに限るべきだ。下の者は上の者に従っただけではないか」

と、追放令に強く反対した。

このとき民政局のなかでも、とりわけウィロビーに激しく反発したのがケーディス

である。それはケーディスがユダヤ人であり、一方のウィロビーがドイツ貴族の血を引くというドイツ系米国人であったことと無関係ではあるまい。ウィロビーの英語には強いドイツ語訛《なま》りがあったが、ケーディスはそれを聞くたびに虫酸《むしず》が走った。

ウィロビーは本名をツェッペ・ワイデンバッハといった。彼自身の書いた陸軍省の履歴書によるとドイツのハイデルベルク出身、一八九二年生まれで、父親はドイツの男爵で母親はアメリカ人ということになっている。もっともドイツの雑誌「シュピーゲル」が調べてみると、その日に生まれた男子はまったく別の名前だったらしい。「ニューヨーク・タイムズ」の記者が本人に真偽を尋ねると、

「自分は孤児で父を知らなかった。だが履歴書に書いたことは正しい」

と答えたという。ほとんど答えになっていないが、この頃のどさくさではどんな人間でも実力があればのし上がれたということだろう。この履歴書が正しければウィロビーはホイットニーより五歳年上ということになる。

一八歳でアメリカに渡り市民権を取っている。ウィロビーという名は母方の姓を名乗ったのだとする説が多いが、ドイツ語のワイデンバウム (weidenbaum) が〝柳〟という意味なので、英語の同意語である〝ウィロー〟(willow) からウィロビーと名乗ったという説も捨てがたい。一九〇センチを超える大男で、鼻梁《びりょう》が高く額はひいで鷹の

ような鋭い顔立ちをしていた。その冷徹そうな容姿と諜報担当という任務の性格から、誰しもナチスドイツの将校を連想せずにはいられなかった。ミズーリ号艦上の降伏文書調印に際しては連合国軍代表を務めている。謎の多い男である。実際、G2の配下には謀略を担当した胡散臭《うさんくさ》いセクションがいろいろあり、そのうちのひとつである〝キャノン機関〟は、昭和二四年の夏に立て続けに起こった下山事件、三鷹事件、松川事件といった占領下の暗黒の事件に関わっているという説さえある。

ウィロビーは民政局、なかでもホイットニーに激しい対抗意識を燃やしていた。ウィロビーはマッカーサーがフィリピン戦線で戦っていた時以来の部下であり、いわゆる〝バターン・ボーイズ〟の中心メンバーである。最初のうちはウィロビーのほうがむしろマッカーサーの信任が厚かったのだが、途中で入ってきたホイットニーがその地位を奪ってしまったのだ。

そもそも参謀部は敵地占領に際してその土地の民政を担当する部署なのである。ところが日本占領はとくに大きな仕事だというのでワシントンの指示で特別に民政局が設けられ、最初は〝参謀部顧問〟程度だろうと思っていたら、みるみるまにGHQの中枢にのし上がってしまった。

ホイットニーが、ケーディスのような若いリベラリストを起用していることも看過できなかった。ウィロビーはフランコ総統を尊敬していたほどの反共主義者である。民政局は日本を共産主義国家に改造しようとしているのではないかと危惧し、ケーディスたちのことを〝ピンカーズ〟と呼んで毛嫌いした。

さて、公職追放に関しては裁定がマッカーサーの手に委ねられ、結局彼がホイットニーを支持したことから公職追放は速やかに実行に移された。

日本国民はアメリカがかつて敵だったことを速やかに忘れたが、マッカーサーはフイリピンのバターン攻略戦で撤退に追い込まれた屈辱をけっして忘れてはいなかった。とくに彼を破った本間雅晴中将に対しては、四三もの罪状を挙げ容赦なく銃殺刑を科《か》した。処刑の日時は昭和二一年四月三日午前〇時五三分、ちょうど四年前にバターン第二次攻撃を本間中将が命じたその日、その時刻を選ぶという念の入りようである。本間は刑の執行を前に次のように語ったという。

「私はバターンにおける一連の責任を取って殺される。私が知りたいのは、広島や長崎の無辜《むこ》の市民の死はいったい誰の責任なのか、という事だ。それはマッカーサーなのか、トルーマンなのか」

その声をマッカーサーは黙殺、東京裁判や徹底的な戦犯追及を通じ、屈辱をなめさせられた日本へのリベンジを次々に果たしていった。公職追放もまたその一環だったのだろう。

先述したように幣原内閣の現役閣僚中五人までもが追放されるという事態に、幣原喜重郎と吉田茂は抗議のための総辞職を考えた。吉田はマッカーサーと会見。明日総辞職するつもりだと詰め寄ったが、マッカーサーは「天皇が再組閣を命じても自分が許さん」と言い放ち、結局幣原内閣は総辞職を断念せざるを得なくなった。最高権力者が誰であるかを痛感した瞬間だった。

マッカーサーのお墨付きをもらったケーディスは、勝ち誇ったように追放者を次々に発表し、一年半ほどの間に二十万余の有力者が追放された。

「これで日本の世代交代が進み、活力が出る」

そうケーディスはうそぶいたが、実際には指導者を失った現場は大混乱に陥った。後述する憲法改正が完全なＧＨＱペースで進んでいった背景には、政治家が牙を抜かれてしまっていたという事情も存在するのである。

日本側も戦犯逮捕までは予期していたが、かかる広範な公職追放は予想外であった。次郎は民政局に対する警戒を強めると同時に、

（ウィロビー少将をわれわれの味方にすることができれば……）

という考えを抱き始めていた。ウィロビーは胡散臭いヤツに違いなかったが、〝敵の敵は味方〟というわけである。

GHQに押し付けられる前に新憲法を作り上げようというもくろみは、近衛の死によって風前の灯となっていた。今やこの重責を担うのは松本烝治ただひとり。だが次郎は、松本の保守的な姿勢が気になってしかたなかった。

一度松本に面と向かって、

「GHQの考えている内容は、先生がお考えになっているほど生易《なまやさ》しいものではありません。少なくとも天皇の大権については大幅な制限を加えないと」

と忠告してみたのだが、松本はいっこうに考えを変えるつもりはなく、

「そんなことをしたら国民に殺されてしまいますよ」

といった返事しか返ってこなかった。次郎が不安を募らせていた頃、事件が起こる。検討中だった憲法草案の一部が毎日新聞にスクープされてしまったのだ。

昭和二一年二月一日金曜日――この日は珍しく雪が降り静かな一日であったが、官邸内は大騒ぎである。松本も問題の毎日新聞を手にしたとたん思わずうなってしまった。一面にでかでかと「天皇の統治権不変」という見出しが躍っている。おまけに憲

法問題調査委員会試案全文が掲載されていたのだ。

（これは閣議で審議されている案ではない。また、ボクが書いた憲法改正私案でもない。委員のひとりである宮沢君［俊義、東京帝国大学教授］が個人的にまとめた甲乙両案のうち、改正部分の多かった甲案のほうだな。それがいったいどうして漏れたんだろう……）

憲法改正作業は極秘裏に進められている。情報管理は厳しく、委員に配付した資料にはすべて通し番号が付されていた。外部に流れたということがどうしても信じられない。ただ宮沢教授の弟が毎日新聞の記者であるということが周囲の憶測《おくそく》を呼んだし、宮沢本人を青くさせた。

その後、この世紀のスクープは西山柳造《にしやまりゆうぞう》という枢密院詰め政治部記者の手によるものだということがわかった。西山はこのとき弱冠二九歳。晩年に至るまで入手先を秘《ひ》匿《とく》し続けたため、真相は藪の中となった。

マスコミは叩き落とされた蜂の巣のような騒ぎである。どの新聞も政府案は保守的にすぎると強く批判したが、そんなマスコミの論調を、松本は世論を正確に反映したものとは思っていなかったし、思いたくもないと耳をふさいだ。

ケーディスたちはこれまで、楢橋渡《ならはしわたる》内閣書記官長や次郎を通じ、松本委員会の審議が進捗していることについてはおおよそ聞いていたし、甲乙両案あることも知っていた。ただ内容については聞かされていなかっただけに、このスクープを歓迎した。ところができてきた翻訳文に目を通した彼らの面々の顔に朱が走った。それは民主化憲法にはほど遠く、明治憲法に微調整を加えたものにすぎなかったからだ。

民政局が不快に思っていることはすぐ松本たちの耳にも入ってきた。そこで、スクープされた宮沢案ではなく正式な憲法問題調査会案(いわゆる〝松本案〟)のほうを提出したのだが、翻訳されてきたものに目を通したホイットニー局長とケーディス次長は顔を見合わせ大きな声で、

「ノー」

と叫んだ。スクープされたものと何ら変わらなかったからである。

松本はGHQの意向に無頓着《むとんちゃく》すぎた。極端な負けず嫌いで、自分が弁護した側が訴訟に負けたときは裁判官の頭が悪いせいにしたほどだったというが、自尊心が強すぎたのだ。自分たちは敗戦したのであり、独立を失って占領されているのだという自覚があまりにも希薄だった。

ホイットニーからの報告を受け、さすがにマッカーサーも新しい憲法作りを日本側に任せておくわけにはいかないと判断した。これまでマッカーサー自身が乗り出さな

かったのにはわけがある。GHQが憲法を制定することは、そもそも国際法に違反する行為だったのだ。

国際法の基本条約であるハーグ条約には次のような規定がある。

〈国の権力が事実上占領者の手に移りたる上は、占領者は、絶対的の支障なき限り、占領地の現行法律を尊重して、成るべく公共の秩序及び生活を回復確保する為施《ほどこ》し得べき一切の手段を尽くすべし〉（ハーグ条約付属書規則第四三条）

占領軍主導で憲法改正を進めることは明らかなハーグ条約違反である。ところが連合国各国代表による極東委員会が設置されることになったことが、マッカーサーの行動に微妙な影を落としていた。GHQは連合国軍の総司令部だったが、実際にはアメリカ軍だけで組織されている。そのことに他の連合国、とりわけソ連が不満を抱き、モスクワで開かれた米英ソの外相会談で極東委員会の設置が決まっていた。GHQの占領政策をチェックするためである。マッカーサーは、極東委員会に横から口出しされる前に自ら行動に移すことを決意した。先手必勝と考えるのは軍人の本能でもあったろう。

毎日新聞スクープの二日後に当たる二月三日、マッカーサーはホイットニー民政局長を部屋に呼んだ。この日の東京は快晴だったがたいへんな冷え込みで、平均気温はわずかに一・六度。廊下などでは息が白くなるほどで、ストーブの上のやかんがしゅんしゅんと音を立てていた。

「憲法改正草案の作成を命ずる」

マッカーサーはそう前置きすると黄色い紙を手に取り、

「象徴天皇、戦争放棄、封建制廃止という三つの原則に則《のっと》ったものとなるようとくに留意してもらいたい」

と言葉を続けた。これが後に〝マッカーサー三原則〟と呼ばれ、日本国憲法の骨格をなす基本原則となった。人類史上初めて〝戦争の放棄〟という政策が登場する。マッカーサーの回顧録では幣原首相のほうから求めてきたのだとされており、ケーディスは昭和天皇が示唆したものだと後に述べているが、真相はわからない。ちなみに次郎は、幣原説は幣原の側近だった楢橋渡のデッチ上げだと批判している。

翌二月四日午前一〇時、民政局の中から極秘のうちに二五名が選ばれ、会議室に呼び集められた。彼らを前にしてホイットニー局長は、

「これからの一週間、民政局は憲法制定会議の役割を果たすこととなる」

と、高らかに宣言した。しかも作業はリンカーン誕生日の二月一二日までに終える

ようにというのである。

（九日間しかないじゃないか……）

軍人だからどよめいたりはしなかったが、隣の者と視線を交わすものがいるなど、その驚きのほどは隠せない。話は一〇分ほどで終わりホイットニーが自室に戻ると、あとの説明はケーディスが引き継いだ。一連の憲法改正作業を実質的に指揮したのはこのケーディスである。当時四〇歳と脂の乗り切っている時期であった。後に触れるシロタ女史は、

〈彼がウンと言わなかったら、ホイットニー准将とてこんな無謀とも言える〝作戦〞に踏み切らなかったと思う〉（ベアテ・シロタ・ゴードン『1945年のクリスマス』）

と、このときの事情について述べている。組織図を発表し、担当者が任命された。仕事の進め方をてきぱきと説明していく手際の良さからも、時間がないのだ、というメッセージがひしひしと伝わってきた。この極秘プロジェクトのコードネームは〝真珠の首飾り〞に決まった。

それにしてもわずか九日間で憲法を作れというのはどういうことか。常軌《じょうき》を逸《いっ》している。

二五名のメンバーの顔ぶれがまた尋常ではなかった。陸軍将校一一名、海軍士官四

名、軍属四名、秘書を含む女性六名で、弁護士資格を持つ者こそ三人いたが、憲法の専門家はただのひとりもいない。どう考えても一国の憲法作成を任せるべき布陣ではなかった。当時のメンバーは後に、ホイットニーから憲法案作成の話を初めて聞いたときの印象を次のように話している。(西修《にしおさむ》『ドキュメント日本国憲法』より)

「とても興奮しました。しかし、同時に私は、このようなことはとても不幸なことだと思いました。なぜなら、外国人によって起草された憲法は正当性を持たないと思ったからです。私は、民主主義を理解している日本人を何人か知っており、彼らに自国の憲法を作らせるべきだと思いました。そして、そのことを上司に述べたのですが、採用されませんでした」(行政委員会・ミルトン・J・エスマン陸軍中尉)

「興奮しましたが、私には憲法を作る能力も知識もなかったので不安でした」(立法委員会・O・ホージ陸軍中佐)

彼らの反応は実にまともである。一方〝素人〟集団に憲法を作られてしまった国民を代表して、次郎は後に次のように語っている。

〈大体GHQにやってきた大部分の人々は、自分の国で行政《ぎようせい》の行位《ぎよう》やった経験のある人はいたかも知れぬが会ったことはなかった。無経験で若気の至りとでも言う様な、幼稚な理想論を丸呑みにして実行に移していった。憲法にしろ色々の法規は、米国でさえ成立不可能な様なものをどしどし成立させ益々得意を増していった。一寸《ちよつと》夢遊病者の様なもので正気かどうかも見当もつかなかったし、善意か悪意かの判断なんてもっての外で、ただはじめて化学の実験をした子供が、試験管に色々の薬品を入れて面白がっていたと思えばまあ大した間違いはなかろう〉（『占領政治とは何か』「文藝春秋」一九五四年臨時増刊号）

次郎自身は、GHQ案はホイットニーやケーディスが喧伝《けんでん》しているように何の準備もなくゼロから一週間で作られたものではなく、豪州において日本本土侵攻作戦を開始したころから周到に準備されたものに違いないと主張している。その証拠として、憲法公布を記念して作られた銀杯をホイットニーに渡しにいった時、

「ミスター・シラス、この銀杯をあと幾組かいただきたいんだ。豪州時代にあの憲法に関係したスタッフもいるもので」

と言って、相当数を余分に要求したことをその証拠としている。だがそれは、ただ単に銀杯をたくさんほしいための方便《ほうべん》でそう言った可能性もあるだろうし、真相はわからない。

毎日新聞のスクープの直後、吉田はホイットニーに対し「二月五日に松本案の内容

を説明する非公式会談を行いたい」と申し入れて了承を得ていた。だが松本案の英訳作業が手間取ったため恐る恐る会談の二日延期を申し入れたところ、民政局が案に相違してすんなり了承しただけでなく、日本側の提案より一週間も先の二月一三日にしたいと言ってきたのだ。まさか彼らが独自に憲法改正案作成作業を進めているとは思ってもいない日本側は、キツネにつままれたようであった。

ホイットニーは約束した二月一三日に、満を持して完成した憲法草案を日本側に叩きつけてやろうと思っていたのだ。

〝真珠の首飾り〟プロジェクトの面々は、期日に間に合わせるべく必死に取り組んでいた。第一生命ビルの最上階にあった簡易食堂でサンドイッチの立ち食いをしながら空が白々と明けるころまで作業を続け、朝にいったん宿舎に帰ってシャワーを浴び、一時間ほど仮眠しただけでまた定刻の午前八時には全員集まって作業を続けた。女性も同様である。

情報が外に漏れてはならない。メンバー以外の将校がポーカーをやらないかと誘ってきても適当に返事をしてやり過ごした。作業部屋の外には見張りがいて、他の部局の人間が来るとさっと合図を送った。すると一同は憲法関係の書類を裏返しにし、数字を書くふりをしてごまかした。

ウィロビーはしきりに探りを入れていた。もしウィロビーが情報をつかんでいたら次郎は知ることができたかもしれないが、さすがの彼も情報をつかめなかった。
メンバーのひとりだった法規課長で弁護士のマイロ・E・ラウエル中佐はこのときのことについて次のように語っている。
〈おもしろい男がいた。白洲次郎がそれで、彼はいつも民政局のあたりをウロチョロしていた。われわれを見ると、遠くから〝ハーイ〟と叫んで手を振る。日本人らしくない身ぶりで、実際、調子のいい男だったよ。白洲は鼻がいいから、何か感じてはいたのだろうが、しかし、まさか憲法草案を作っているとは思わなかったらしい〉（週刊新潮編集部『マッカーサーの日本』）
なんと当初の予定より二日早く、二月一〇日の日曜日の夜に草案は完成した。彼らは九日間どころか七日間で憲法草案（いわゆる〝マッカーサー草案〟）を作り上げたのである。ケーディスとラウエル中佐と民政局政治課長のアルフレッド・R・ハッシー中佐の三人は帝国ホテルで祝杯を挙げた。ケーディスとハッシーは親友である。ラウエルが「もう一杯か二杯飲めば完全につぶれてしまっただろう」と語っているほどに痛飲した。

こうしてホイットニーとケーディスは準備万端整えて昭和二一年二月一三日を迎えることができた。その日は水曜日だった。

外務大臣官邸には、早朝から官邸の主である吉田と次郎のほか、松本国務大臣と通訳役の外務省嘱託《しょくたく》長谷川元吉が集まっていた。松本は松本案の英訳版と説明書を持参している。彼らは予定どおり松本案を説明し、日米双方で検討を加えていくものだと思っていた。ホイットニーが用意している〝爆弾〟のことなど頭をよぎりさえしなかった。

当日は快晴だった。

「いい天気だから庭に出たほうが気持ちいいね」

吉田はポーチに椅子を用意させ、全員庭へと出た。

「いやあ、本当に気持ちのいい朝ですなあ」

松本もすこぶる機嫌がいい。

「白洲君、少し相手をしてくれるかね」

松本は用意してきた想定問答集を手に次郎相手に予行演習を始めた。緊張感がないと言ったら嘘になるが、天気のよさも手伝ってけっして暗い雰囲気ではなかった。

一方の民政局サイドはと言うと、ホイットニーは夜半から高熱を出していた。宿舎

の帝国ホテルに迎えに行ったケーディス大佐はそのつらそうな様子を見て、

「今日の会談は延期されたほうがよろしいのでは？」

と進言したが、ホイットニーは、

「延期できるような会談ではない」

と言下に否定した。気合が軍服を着て歩いているようであった。

ハッシー中佐とラウエル中佐も同乗し、一行はカーキ色に塗られたおなじみの四五年型フォード（通称ジープ）に乗り込むと外務大臣官邸へと向かった。

午前一〇時、官邸へと到着。次郎が出迎えに出ていた。

官邸といっても今とは違い日本家屋である。彼らが通された部屋も、庭に面して長い廊下がついている和室であった。客は奥に座るのがふつうだが、ホイットニーは吉田たちに挙手の礼を返すや否や庭を背にして座を占めた。庭のほうから朝日がまぶしいばかりにさしこんでいるのを見たからである。日光を背にして精神的圧力をかけようという作戦であった。この日にかける彼の思いの強さが伝わってくる。吉田たちは戸惑いながらも奥の側に並んで座った。

先述したハーグ条約の件もあり、この件だけは上から押し付けるのではなく、日本側から自発的に従う気にさせねばならない。そのうえ、極東委員会の邪魔が入らないよう速やかに進める必要があったわけで、ホイットニーは内心緊張していた。

ホイットニーは松本とは初対面である。吉田が松本を紹介し、

「では……」

と、松本が先日提出した松本案について話をはじめようとしたそのとき、急にホイットニーはそれをさえぎると、次のように話し始めた。

「先日あなた方から提出された憲法改正案は、自由と民主主義の観点からみてとても容認できるものではありません。しかし最高司令官は、日本国民が過去の不正と専制政治から守られるような自由で啓発的な憲法を熱望していることを十分理解しておられます。ここに持参した憲法草案こそ、日本の人々が求めているものであるとして、最高司令官があなた方に手渡すようお命じになったものです」

英語を理解させるとともにことの重要性を認識させるためであろう、ホイットニーは一語一語区切るように話をした。その言葉には有無を言わせぬ強さがあった。

（なんと、GHQ側は自ら憲法改正案を用意してきたのか！）

虚を衝《つ》かれた日本側は粛《しゅく》として声もない。海の底から湧き出してくるような重々しい沈黙が部屋の中を支配していた。人は驚きが大きすぎると表情を失ってしまうもののようである。

ＧＨＱ側の資料にはこの瞬間、〈白洲氏はまるで異物の上に座ったかのように背筋を急に伸ばした〉と描写されている。おそらく次郎はここにいる日本人の中で、かかる事態に対してもっとも心の準備のできていた人間だったろうが、その彼でさえ驚きと緊張で手足が冷たくなってくるのを感じていた。

（やられた！　あいつらいつの間にこんなものを用意してたんだ）

前述のように、ラウエル中佐は次郎が何か感づいていると思ったようだが、実際にはまったく気づいてはいなかった。〝まんまとやられた〟次郎と〝してやったり〟というケーディス――視線さえあわさずともふたりの間にはある感情の交換があった。

ホイットニーがアゴで合図すると、ハッシー中佐はカバンから一束の書類を取り出した。マッカーサー草案であった。幅約二〇センチ、縦三三センチの紙にカーボン印刷されたそれは全部で一五部。一部あたり表紙を含めて二一枚、表紙にはそれぞれ左上に6から20までの番号がふられていた。次郎がハッシー中佐の差し出す受領書にサインをしている間に、ホイットニーはコピー番号6番を吉田に、7番を松本に、8番を長谷川にとそれぞれ渡し、残りはすべて次郎へと手渡した。

「我々は少し席をはずして、君たちが草案に目を通す時間を差し上げよう」

彼はそう言って立ち上がると、ケーディスたちとともに庭へと出た。

このとき、米軍のB25爆撃機が一機、低空で上空をかすめ飛び、重低音の爆音が地響きのように彼らを包み込むと官邸全体を大きく揺るがした。耳を聾《ろう》するようなその轟音《ごうおん》は、日本の面々のただでさえ繊細になっている心臓をぎゅっと締め上げた。そのあまりのタイミングのよさに、〝これはホイットニーたちの心理作戦だったのではないか〟と後年まことしやかにささやかれたほどである。

この間中吉田たちは黙ったままであったが、さすがにホイットニーたちが庭に出るとようやく気を取り直し、英文で書かれている草案に急いで目を通し始めた。緊張しすぎて内容がなかなか頭に入らない。パンを口いっぱいほおばったのに唾液が出ないようである。それでも必死に字面を追っては頭に流し込んだ。

それは完全に憲法の体裁をそなえたものであった。

(何だこれは……)

冒頭、〝前文〟という不思議な文章が置かれている。同席していたハッシー中佐がほとんどひとりで書き上げたものだなどということは知る由もない。何はさておき皆が最初に目を通したのは天皇制に関する箇所であった。

(シンボル?)

天皇制が維持されていることには安堵《あんど》したが、そこに使われていた〝シンボル〟という、法律用語とも思えない文学的な表現には皆一様に戸惑いを隠せなかった。国会は一院制とされており、衆議院しかない。そして何より皆を驚かせたのは、国民の権利義務の項にある〝土地その他の天然資源は国有とする。ただし国有化の際、国民には適当な補償は支払う〟という規定だった。

（土地を国有化しようというのか？　国民は大混乱に陥るぞ！）

民政局には共産主義者が多かったとされるが、この条項を見てもそのことがわかる。この条項は後に日本側で〝レッド条項〟と呼ばれることになる。

さっとすぐ全文に目を通した次郎は、ここで吉田たちと議論するより、むしろホイットニーから直接真意を聞き出したいと考え、庭に出ることにした。ケーディスはハッシーたちと、

「肺炎になるといけないからすぐ軍医を呼ばなくては……」

などと話していたが、次郎が近づいてくるのを見て急に口を閉ざした。ホイットニーも次郎に気がついた。

「我々は原子力の陽光を楽しんでいたんだ（"We have been enjoying your atomic sunshine"）」

彼は微笑みながら静かな口調でそう言った。

(何だと?)

原爆を落とされた心の傷もまだ癒《い》えていない日本人にとって、〝アトミック〟という言葉はタブーである。次郎は全身の血が逆流する思いがしてかあっと顔が火照《ほて》った。わざわざ〝アトミック〟という言葉を使ったのは明らかな威嚇《いかく》である。次郎がしつこく質問してくるのを封じたのだ。後にケーディスは、ホイットニーに悪気はなかったのだと弁護しているが、悪気が無くてこんな言葉が出てくるはずはない。不快感が胃酸のようにこみ上げてきて、次郎はしばらく口をきこうとはしなかった。気まずい空気が流れた。そこにいいタイミングで吉田たちが次郎のことを呼んでいると秘書官が知らせにきた。

険しい顔のまま次郎が部屋に入った瞬間、松本の声が聞こえてきた。

「これはとてもだめだ。こんなもの今即答することはできないから、持って帰るより仕方ないな」

「…………」

吉田は黙って腕組みしたままである。そんな彼らに、庭で聞いたホイットニーの言葉を伝えようとした時、間の悪いことに当の本人たちがもどってきた。部屋に入った時、ケーディスが目にしたのは、〝生涯を通じあれほどの渋面を見たことがない。彼らは完全に石のような顔をしてがっくりしていた〟という吉田たちの姿だった。なかでも自分の案を黙殺された松本は、ホイットニーといっさい視線をあわせようとしなかった。

吉田は腕組みを解きいくつか質問を試みた。先ほどの怒りがまだ頭の中を支配している次郎は、通訳しようと口を開いても言葉が出てこない。その都度《つど》長谷川に助け舟を出してもらった。

（いったい次郎はどうしたんだ……）

庭での彼らの会話を知らない吉田はいぶかったが、ケーディスは日ごろ生意気な次郎が陸《おか》に上がった魚のようになっているのを見て内心ほくそ笑んでいた。さすがに表情に出すことこそしなかったが、ホイットニーと目があった時、彼も同じことを考えていることがはっきりとわかった。ホイットニーはダメ押しをするように次のような話をした。

「マッカーサー最高司令官は、天皇を戦犯として取り調べるべきだという他国からの圧力から天皇をお護りしようという固い決意を持っておられる。しかし最高司令官といえども万能ではない。最高司令官はこの憲法草案が受け入れられるならば、事実上、天皇は安泰になると考えておられる」

天皇を持ち出してマッカーサー草案を受け入れろというのである。脅迫《きょうはく》以外の何ものでもない。吉田は、しきりに両方の手のひらをズボンにこすりつけるような仕草《しぐさ》を繰り返した。緊張で手のひらに汗をかいていたのだ。長谷川は唇が乾いたらしく、しきりに唇をなめている。

このとき、松本が勇気を振り絞って口を開いた。

「一つ申し上げておきたいが、二院制というのはただなんとなく二つあるというのではなく、チェック&バランスの役割を果たしているのです」

松本のその言葉に対し、ホイットニーは意外にも素直に耳を傾けた。後年、「参議院など不要だ!」と発言する次郎も、このときばかりは松本を応援したい気持ちになっていた。一院制はケーディスの発案で盛り込まれたものだったが、彼もさして反論はしなかった。それはそうだろう。草案制定会議の議事録を見ると、

「マッカーサー元帥は一院制のほうがいいと思っているようだ」

というケーディスの一言で、何の理論的裏づけもないまま一院制が採用されていたにすぎない。いい加減なことこの上ない。だがこれ以外の問題となると、彼らはまったく聞く耳を持たなかった。

「あなた方がこの草案を受け入れるも受け入れないも自由だ。だがもし受け入れないのなら、次の総選挙で日本政府案を選ぶか、マッカーサー草案を選ぶかの国民投票を行うことにする」

　このホイットニーの言葉に、松本たちも黙ってしまった。

「本件はなにぶん内密に願いたい」

　吉田が絞り出すような声で言うと、ホイットニーは黙って頷《うなず》いた。そしてかたわらのケーディス大佐らに何か補足することはあるかと確認し、この日の会談は終わった。ＧＨＱの資料では、立ち上がったホイットニーが次郎に、

「私の帽子と手袋を持ってきてくれないか」

　と頼んだことになっている。そして、〝白洲氏はふだんは非常に穏やかで優雅な人だが〟あわてて玄関近くの控えの間に走っていき、途中でベランダのほうの書斎に置かれていることを思い出したらしく急いでもどってきて、〝極度の緊張をあらわしながら〟帽子と手袋を手渡した、とされている。後年これを読んだ次郎は、

「ふざけるなっ！　官邸には秘書官もいるんだぞ。どうしてわざわざオレがそんなことをする必要がある！」

　と、怒りと恥ずかしさに全身を震わせるようにしながら赫怒《かくど》した。ＧＨＱの資料は

憲法制定の過程をよほどドラマティックなものに演出したかったと見え、異常なほど詳細で、不自然なほど劇的である。今となっては、どこまでがGHQの脚色かは永遠の謎となってしまった。

とにもかくにも、ホイットニー一行は一一時一〇分ごろ官邸をあとにした。

「実は……」

次郎はここで初めてアトミック発言について吉田に報告した。

「何だとっ！」

吉田は地団太《じだんだ》踏んで悔しがった。

「GHQなど"Go Home Quickly"（さっさと家に帰れ）だっ！」

真っ赤になって怒りながらも吉田のジョークは冴えていた。

# ジープウェイ・レター

歴史に〝ｉｆ〟は禁物だが、ハーグ条約を盾にして、ＧＨＱから憲法案を押し付けられようとしている事実を公表し、国際世論を味方につけるということもできたかもしれない。だがその際はソ連などが介入して占領政策は混乱し、ドイツのように分割統治された可能性は高い。このあたりの判断は極めてデリケートな問題だろう。

外相官邸からもどった松本烝治国務大臣は、すぐ幣原喜重郎首相に報告。その際、マッカーサー草案が単なる提案なのか、それとも〝指令〟なのかについて議論があった。指令であれば交渉の余地はない。

「提案だと思って行動してみるしかなかろう」

協議の結果、このマッカーサー案を踏まえつつ松本案の再説明書を書くことになった。松本案自体の内容を変えるのではなく、民主化という趣旨はわかっているのだという〝言い訳〟をしてみようというのである。次郎は暗い気持ちになった。ホイットニーの態度からも、〝これが指令でなくて何なのだ〟という思いだった。だが一方で、提案であるという可能性に一縷《いちる》の望みをかけようとする幣原や松本の気持ちもわからぬではない。そこでいくつか観測気球を上げて彼らの真意をはかることにした。

外相官邸での会議があった日の午後、次郎はさっそくホイットニーをGHQ本部に訪ねた。開口一番、

「松本大臣も〝総司令部案の目的としているところは完全に賛成だ〟とおっしゃっていました」

と、彼には珍しく相手の歓心を買う行動に出た。だがその裏にはもちろん、総論に賛成しつつ各論で反対していこうという算段があったのだ。

「それは嬉しいことだ」

ホイットニーはそっけない口調でそう答えた。次郎の言葉を額面どおり受け取るほど彼もお人よしではない。その後は譲歩をまったく見せなかった。時間が経つほど追い込まれるのは日本側である。GHQペースになる前に改正作業の主導権をもう一度日本サイドの手に取り戻したいと思った次郎は、翌日再びホイットニーを訪ねた。次郎は日本固有の事情を引き合いに出しながら松本案の背景について説明した。このときホイットニーが若干興味を示したようなそぶりを見せたが、彼の〝カン〟が、それ

はポーズであって最初の印象から何も変わっていないと語っていた。会談後、松本大臣に報告に行った次郎は、

「大臣、むこうはやはり〝指令〟だと考えています。交渉は受けつけそうにありません」

と率直に自分の意見を言った。

「うーん、そう一方的では困るよ」

〝あっさりあきらめすぎだ〟――そう言わんばかりの口調にむっとしながら、

（じゃあ、あんたがやってみたら？）

という言葉を必死に呑み込んだ。英語でハードな交渉ができる人間が自分をおいて他にいないことは先刻承知である。ここで尻尾《しっぽ》を巻いて逃げ出すわけにはいかなかった。そうすれば吉田に迷惑がかかる――それだけは避けたかった。

「わかりました。もう一度やってみましょう」

ときっぱり言った。

（勝ち目がないとわかっていても、男には戦わねばならない時がある）

腹をくくった。勝つか負けるかということで言えば、もう戦争で負けた時点で勝負あったのだ。失うものは何もない。戦う姿勢が重要であった。後の首相・宮澤喜一は

次郎の口から次のような言葉を聞いている。

「自分は必要以上にやっているんだ。占領軍の言いなりになったのではない、ということを国民に見せるために、あえて極端に行動しているんだ。為政者があれだけ抵抗したということが残らないと、あとで国民から疑問が出て、必ず批判を受けることになる」

次郎の目はすでに占領後の日本を見ていたのだ。

(手紙を書こう)

次郎は〝言質《げんち》をとるには文章にかぎる〟と、いつものようにそう考えた。これが世に名高い「ジープウェイ・レター」である。と言っても知られるようになったのは、ジャーナリストの大森実《おおもりみのる》が昭和五〇年(一九七五年)に発刊した『戦後秘史』の中で紹介してからのことであり、それまではこうした次郎たちの苦闘はまったく世に知られていなかった。

〝松本案もマッカーサー案も民主的憲法の必要を切望しているという意味において目的は同じであり、ただその進め方が違うだけだ〟――という論旨を展開したのだ。この手紙を手に、次郎はホイットニーの部屋を訪ねた。

〈マッカーサー案は、日本の固有の事情をまったく顧《かえり》みない〝エアウェイ〟(空路)のようなものです。それに対して〝彼ら〟の案は、日本の狭くて曲がりくねった山道(固有の事情)をなんとかジープで走っていこうとしているわけです。回り道であっても日本の伝統と国情に即した道をとるほうが混乱を招かないからです。ぜひ〝彼ら〟の考えをご理解ください〉

次郎はGHQを説得するため、日本人のことを意識的に〝彼ら〟(They)と呼んだ。あたかもGHQサイドからものを見ているかのような表現を多用することで親密感を引き出そうとしたのである。

だが次郎の作戦は見透かされていた。ケーディスはホイットニーに、

「閣下、これは見え透いた時間稼ぎか、松本や白洲たちが事態をまったく理解できていないかのどちらかでしょう。我々の限度を超えた好意を彼らはまったく理解していない！」

憤懣《ふんまん》やるかたないといった様子のケーディスにホイットニーも、

「同感だな……」

とつぶやいた。

「すぐ返事を書こう。こういうことは早くしたほうがいい」

「〝Mr. Why〟に、ひとつはっきりとＷＨＹ（なぜ）かを教えてやりましょうよ」

ケーディスが下書きをしたものにホイットニーが加筆してサインをし、翌日すぐ返事をよこしてきた。丁寧ではあったがきわめて厳しい調子の文章だった。〈マッカーサー案の目的に賛成するというのなら、松本案のように漸進的にではなく積極的に推進すればいいではないか〉と反論し、〈松本たちに権利と自由の旗頭になる決意がないのなら、指導者に必要な資質を備えている他の人々に道を譲るべきだ〉とまで書かれていた。

次郎のせっかくの〝ジープウェイ・レター〟も結局功を奏さなかったのである。夢の中で足をばたつかせるのだが前に進まないような焦りにさいなまれ、考えれば考えるほど脂汗でわきの下が冷たくなっていった。

当然この返書の内容は松本に伝えたが、にもかかわらず松本は前回提出案の再説明書を作成した。あえて次郎とホイットニーのやりとりに耳をふさいだのだ。

——西洋の苗木《なえぎ》を無理やりさし木すれば枯死する。日本人には苦すぎて飲めない薬を無理やり飲ませるようなものだ。

内容は〝ジープウェイ・レター〟の趣旨の繰り返し。松本は意地になっていた。二月一八日、次郎が再び使者として再説明書を民政局に提出することとなった。

（ホイットニーの怒る顔が目に浮かぶようだ）

吉田は次郎をGHQの交渉の窓口に立たせ続けた。微妙なニュアンスを聴取するため、あるいは変な言質をとられないためであろうが、次郎にすれば爆弾を抱いて〝バンザイ突撃〟を命じられたも同然だった。

午後三時三〇分、意を決してホイットニーの部屋のドアを叩いた。ケーディスもいた。ホイットニーは再説明書の英訳文タイプ紙六枚に目を通すと、憮然《ぶぜん》とした様子でケーディスに手渡した。読み終わったとたん、ケーディスは真っ赤になって再説明書を机に叩きつけ大声で怒鳴った。

「不誠実だ。最高司令官をバカにしている！　このような文書は……」

白い紙がぱっと机の周辺に散らばった。ホイットニーはケーディスを制したが、その顔はケーディス同様真っ赤になっている。怒りを押し殺し、冷静を装いながら次郎に尋ねた。

「松本博士の再説明書を読んだかね？」

「いいえ、読んでいません」

当然読んでいたが、ここで変に質問されたくはない。

「では、ここで読んでみたまえ！」

そう言うと説明書を乱暴に突きつけた。そして読み終わるのを見届けるや否や、矢継ぎ早に質問を投げかけてきた。

「この説明書は政府の見解を代表するものなのかね？」

「いいえ」

「先日渡した総司令部草案は閣議で検討されたのかね？」

「たぶん……」

次郎の言葉はいつもと違って歯切れが悪い。憲法改正に関しては閣僚には大略しか伝わっておらず、内容の詳細を閣議に諮《はか》るということはしていなかったのだ。したがってまだ政府の正式見解だと答えるわけにはいかなかった。だが閣議も通さず回答してきたと聞いたら〝真剣に考えているのか！〟と嚙み付かれるのは明らかだ。進退窮《きわ》まった。

さすがにホイットニーも、次郎の様子で状況はほぼ飲み込めていた。急に厳《おごそ》かな調子になると、次のように言い渡した。

「政府はマッカーサー案を受け入れるかどうか、今から四八時間以内に回答するよう幣原首相に伝えなさい。でなければ当方で一方的に国民に向けてマッカーサー草案を公表し、きたるべき総選挙の争点にし、国民の了承を取り付けるだろう」

ホイットニーたちは、今の日本国民ならマッカーサー草案に反対するはずがないと確信していた。事実そうだったに違いない。

そのままホイットニーは背を向け、ケーディスも横を向き、次郎は完全に無視された形のまま退出をうながされた。何たる屈辱。こみ上げる怒りに肩を震わせながら部屋を出た。

首相官邸へと急ぐ車中で唇を嚙み締めた。最初から結果はわかっていた。だがあらためて結果が明らかになってみると、無力感で全身が鉛のように重く感じられた。


首相官邸では幣原首相のほか松本や吉田も次郎の帰りを待っていた。

「四八時間とは……」

幣原は次郎からの報告を聞き、思わず腕を組んで唸《うな》った。松本は無言のままだったが、こめかみに静脈がぜんまいのように浮き上がっている。

「とりあえず閣議に諮ることにしよう」

翌二月一九日午前一〇時一五分、閣議が開かれた。これまで秘密裏に進めてきたのである。閣僚の間からは当然のように不満の声が出た。もうそんなことを言っていら

れる段階にないことはわかっていたが、どうしても素直に受け入れる気になれない。そのうち首相の幣原までもが、

「私としてはこの総司令部案は受諾できないと思う」

と言い始める始末。松本も、自分の労作がことごとく握りつぶされたことで嫌気《いやけ》がさしてきており、

「マッカーサー草案を基礎として再修正案を起草するなどという作業は御免こうむりたい」

と噛んで吐き出すように言った。受諾反対派が大勢を占めたが、それをそのままGHQに伝えるのはさすがに自殺行為である。結局決まったことは、

——四八時間以内に回答できる状態ではないから、もう少し検討する時間をもらおう。

ということだけだった。

午後、再び次郎が民政局に派遣された。ちょうど、海の中で長い間作業していた潜水夫がようやく海面に上がってきた途端、〝もう一度潜ってきてくれ〟と命じられたような気持ちであった。

「英語のできない閣僚がいるのでマッカーサー草案を日本語訳しないといけないので

すが、翻訳作業が明日までかかります。閣僚の検討する時間も含め、期限の二〇日を二二日の夕方まで延期していただきたいのですが」

ホイットニーに見え透いた嘘を言って頭を下げながらも次郎は、

(我慢しろ、我慢しろ、日本のためなんだ……)

そう呪文のように繰り返していた。本来なら絶対にやりたくない役回りである。実際こうしたことが重なって、〝あいつは嘘つきだ〟とGHQ内で言われるようになっていく。日頃から〝嘘をつくやつは大嫌いだ〟と公言していた彼としてはなんとも皮肉なことであった。

(オレがホイットニーだったら「ふざけるなっ!」って言ってぶん殴るよな)

そう心の中で思った。案の定、

「そんな閣僚がいるわけないだろう!」

と、つぶてのように罵声が飛んできた。ケーディスだった。ここまでくると、どこか遠いところで行われているやり取りかと思うほど冷静になれるから不思議である。だがホイットニーは静かにケーディスを制した。

「Very fine!(いいだろう)、ミスター・シラス。閣僚たちがあの草案の原則を完全に理解したら、即座に心から受け入れてくれると確信している。賭けてもいい。ただ、もしもっと早く結論が出たら教えてほしい。それから、できあがった日本語訳のコピーを一部くれないか」

そう言うと、次郎に握手を求めてきた。正直驚いた。複雑な気持ちを抱きながら部屋をあとにしたが、ただこれは、間違いなく〝武士の情け〟というものとは違うと感じていた。

次郎が部屋から出たあと、ホイットニーは上機嫌でケーディスにこう言った。

「〝Mr. Why〟は閣議でわれわれの案を検討すると言ったね。これは松本たち保守反動派の手に余るようになって自由主義的閣僚とも相談せざるを得なくなったことを意味している。大詰めが近づいたんだ。もう一鞭《ひとむち》だよ。そうじゃないかね、チャック」

ホイットニーは勝利を確信しつつあった。そうした余裕が、次郎に対する寛大な態度になって表れたのだ。そんなことなど次郎は知る由もない。微妙な心理戦の連続に神経は磨《す》り減り、さしもの次郎も極度に消耗していた。

期限を前にして、幣原首相はマッカーサーとの面会を申し出た。この申し出にホイットニーたちは色めき立った。幣原の登場は、最終局面がきたことを意味するからである。会談の場でマッカーサーは、

「私は日本のために誠心誠意配慮しているつもりだ。そして天皇陛下にお会いして以来、なんとしてでも陛下を安泰にしたいと願っている」

と前置きした上で、極東委員会で討議されようとしている内容は幣原たちの想像をはるかに超えるほど日本に厳しいものであること、ソ連と豪州が日本に対し復讐戦をしようとしている動きをなんとか防いでいることなどを滔々《とうとう》と語って聞かせた。

「この草案への修正をどの程度許容してもらえますか？」

「天皇に関する規定や戦力不保持といった基本原則以外は修正を加えていいでしょう」

幣原はこのマッカーサーの発言を希望の光としてすがるように重く受け取った。楽観的に考えるのは当時の為政者の悪い癖である。その傾向が敗戦という最悪の事態を迎えたのだという反省がまるでない。

回答期限である二月二二日の朝、定例閣議の場で幣原は、マッカーサーとのやりとりについて〝基本原則以外は修正を加えていい〟と言ったという点を強調しながら語って聞かせた。それを受けてまずは松本が口を開いた。

「マッカーサー草案を憲法の体裁にするなどということは議会を前にして時間的に不可能であり、私にはできない。それに衆議院は可決しても貴族院は到底承認しないでしょう」

幣原が聞いたという〝修正を加えてもよい〟というマッカーサーの言葉には一定の評価をするとして、そもそもマッカーサー草案を前提とすること自体が松本には堪《た》えられなかったのだ。松本の発言をきっかけに議論が動いた。妥協はできないとする意見と妥協可能とする意見が相半ばする様相を呈した。前者の代表が松本、後者は幣原らであった。

最後に幣原が断を下した。

「GHQが示している基本原則はもう彼らの譲らないところでしょう。ただそれ以外の点についてはこれから交渉を重ねてなるべく我々の意向を取り入れてもらうということでみなさんのご了承を賜りたい」

日本が自主的な憲法改正を断念した瞬間だった。閣議は午前一一時四〇分に終わり、幣原は天皇の了承を得るため皇居に参内《さんだい》した。天皇は幣原の報告に黙ってうなずいたという。

この日の午後二時、次郎は松本や吉田とともに民政局へと向かった。松本はマッカーサーが幣原に伝えたという〝修正を加えてもよい〟という言葉を信じ、わずかずつでも修正を施し、最終的には自分たちの主張を盛り込んでしまおうと考えたのである。そのためには交渉不能な部分を確認しておく必要があった。会談にはホイットニーのほか、ケーディス、ハッシー、ラウエルといったいつもの面々が顔をそろえた。

まず松本はホイットニーに、前文は憲法の一部であるか、と尋ねた。

「明らかに憲法の一部です」

「現在の明治憲法では憲法改正の発意は天皇が行うことになっています。前文を付すのなら、天皇が国民に新しい憲法を示すという体裁をとる必要があるでしょう」

「それは違う。憲法は国民から上がってくるもので天皇から下げ渡されるものではない。天皇は、憲法案が議会に付議される前に、その欲する方法でなんらかの行為をすることができるはずです」

取りつく島もない。松本は渋面を作った。

「改正案を付議するにあたって、陛下が勅語《ちょくご》をお出しになることにあなた方は反対しないという意味ですか？」

横合いから次郎が口を挟《はさ》んだ。

「勅語がこの憲法案の諸原則に反していない限り、われわれは反対しません」

次郎の機転のおかげで、天皇の体面を守りたい日本側としては大事な言質をとることができた。だが民政局側は、肝心の点に関しては厳しい姿勢を崩さなかった。

「マッカーサー草案のうちで、変更の許されない基本的な部分がどの条項なのか教えていただけませんか？」

松本がそう尋ねると、ホイットニーは、

「案文全体が基本的なものです」

と、まるで学校の先生ができの悪い生徒を諭《さと》すような調子で返事をした。マッカーサーとは一体であったはずのホイットニーも、ここだけは譲らなかった。マッカーサーのように〝修正を加えてもよい〟などというリップサービスはせず、ずばりマッカーサー草案をそのまま呑まそうとしたのである。最後にケーディスが、

「各条項の諸原則を確認するため、もう一度英文を通読することをお望みですか？」

と言ったが、これには次郎が、

「その必要はありません。理解しています」

ときっぱり答え、ホイットニーは、

「That's fine（けっこう）」

と言うと、ポンと指で草案をたたいて立ち上がった。時計の針は三時四〇分を指していた。

二月二六日午後一時三〇分、定例閣議が開かれ、その場でマッカーサー草案の外務省訳が配られた。粗末なザラ紙に謄写版《とうしゃばん》刷りされたその翻訳には表紙に極秘の朱印が押され、〝乞御返却〟の付箋《ふせん》がついている。

「口外無用に願う」

という首相の注意の後、閣僚たちは黙ってその翻訳草案を読み始めた。彼らがマッカーサー草案を目にするのはこのときが初めてである。紙をめくる音だけが室内に響いた。

読み終わるとどよめきが起こった。

「このままではたいへんなことになる」

というのが閣僚たちの共通した感想であった。松本が口を開いた。

「かくなる上は、このマッカーサー草案を土台にして日本案を作るほかない。佐藤達《さとうたつ》夫《お》法制局第一部長を助手にして三月一一日を期限としてGHQに提出したい」

閣議はこの意見を了承し、松本は作業を開始した。

実はこのとき、事態は日本側の知らないところで複雑な動きを見せていたのだ。この同じ二月二六日、極東委員会がワシントンで第一回会議を非公開で開き、その活動を開始したという知らせがGHQに届いたからである。余裕さえ見せていたホイットニーたちは一転して焦りはじめた。第二回以降の会議で憲法改正作業に待ったをかけられたら、これまでの努力は水の泡である。ことを急ぐ必要がでてきた。

次郎のところに、日本案はまだかという督促《とくそく》の電話が頻繁《ひんぱん》に入ってくるようになった。松本はホイットニーに、

〈我々の案文は三月四日までに作成され直ちに英訳に取り掛かる。すでに申し上げているように三月一一日がもっとも早い提出日になるだろう〉

と手紙を書いている。〝こっちも急いでいるんだからガタガタ言わずに待っていてくれ〟という趣旨である。だが民政局からは、督促ではまどろっこしいとばかりに〝命令〟が下された。

「日本案を至急提出してくれ。英訳が間に合わなければ日本文のままでいい。翻訳官をつれて至急来るように」

とのことであった。指定された日は昭和二一年三月四日。あの〝アトミック発言〟からわずか一九日後のこの日が、まさか憲法制定のクライマックスとなろうとは、日本側の誰が予想できただろう。彼らは川の中の木の葉のように逆巻く流れに身を任せながら、その先に滝が待ち受けているとはつゆ知らず、一直線に流されていたのである。

# 「今に見ていろ」ト云フ気持抑へ切レス

三月四日の朝を迎えた。

前日、東京では雪が降り、朝まで溶けずに残っていた。この朝、法制局の佐藤達夫第一部長は首相官邸の玄関口で松本烝治から、

「翻訳の手伝いに一緒に来てくれないか」

と声をかけられた。丸い黒縁の眼鏡をかけた佐藤は、額が広く痩《や》せていて唇薄くいかにも真面目で神経質そうな法律の専門家。次郎より二歳年下である。英語が得意ではない彼は〝あまり気の進まぬまま〟同行することとなった。

午前一〇時、第一生命ビル最上階にある民政局六〇二号室。佐藤はGHQに足を踏み入れるのは初めてである。

部屋には次郎のほか、外務省情報部渉外課・小畑薫良《おばたしげよし》、外務省嘱託・長谷川元吉が先に到着していた。シカゴ大学の大学院で英文学を学んだ小畑は、長谷川同様外務省

屈指の英語の達人である。民政局側はいつものホイットニー、ケーディス、ハッシー、ラウエルのほか、数名の将校が顔をそろえていた。

「お急ぎのようでしたので、とりあえず日本語の案文とその説明書をご用意しました。もっとも閣議に諮《はか》ったものではなく、私の私案にすぎません」

松本は慎重にそう前置きして案文をホイットニーに手渡した。このときの松本の案文は「三月二日案」と呼ばれているものである。

それを手にしたホイットニーはペラペラと少しめくってから大げさに肩をすくめ、〝読めない〟という意味のジェスチャーをした。彼らの緊張をほぐすためのジョークのつもりだったのだろうが、誰一人にこりともしないのを見て、無言のままケーディスに合図を送るとケーディスは部屋を出て行った。ホイットニーは松本と次郎のほうに向き直るとおもむろに口を開いた。

「ご苦労さまでした。我々も翻訳係を用意しているので直ちに英訳作業に入りましょう」

それが三〇時間に及ぶマラソン翻訳会議のスタートを告げる号砲だったのだ。

そう言い残すとホイットニーはさっさと部屋を出て行き、入れ替わりにケーディスが四人の翻訳係と将校服姿の軍人ふたりを連れて入ってきた。ひとりは背のひょろっと高い女性でベアテ・シロタと紹介された。

シロタは一九二三年ウィーン生まれだから、このとき二二歳という若さである。五歳のときにピアニストの父レオ・シロタ氏とともに来日したロシア系ユダヤ人である。一〇年間も日本に滞在していたから日本語は流暢《りゅうちょう》。両親は彼女が米国に留学している間もずっと日本にいた。栄養失調で餓死寸前の状態にまで陥ったが、親戚が次々にアウシュビッツに送られたことを思うと耐えることができた。

民政局では人権に関する小委員会に所属していた。女性の権利を明記することに尽力したことから、後年、〝憲法二四条（＝「婚姻は両性の合意のみに基づいて成立する」という条文）の母〟と呼ばれるようになる。

G2のウィロビー少将は、民政局がこのシロタ女史を採用したことに対して批判的だった。彼は次のように語っている。

〈民政局がいかに愚劣だったか、一例を挙げよう。民政局に、日本で生れた一人の若い米人女性職員がいた。彼女は戦前、日本警察と隣組に圧迫を受けて、それらを憎んでいた。この娘に、民政局は隣組に関する報告書を書かせたのである。彼女は、当然、隣組は解散すべきだと書いた……。まったくバカげた報告書である〉（週刊新潮編集部『マッカーサーの日本』）

また松本の目には、彼女は派手な服を着た厚化粧の女で鼻の穴からタバコの煙を吹き上げ、何かといえば〈フハン、フハン〉と鼻声で相槌《あいづち》を打つ〈あやしい女〉という印象に映って顔をしかめた。だが写真から見ればシロタ女史はけっしてそんな〈あやしい女〉などではなく極めて知的な女性である。松本にすれば、坊主憎けりゃ……というところだったのだろう。

「今からここで全文の翻訳を始めるんですか……」

松本は両目を見開き、ケーディスの顔を見つめた。

「作業は明日までに終わらせたい。時間がないからすぐ始めよう」

トランスレーター・プールという張り紙が張られた翻訳官用の部屋が用意され、松本と次郎は別の控え室に入った。こうして第一条から翻訳が始まったのだ。

そもそも「三月二日案」は漢文調でわかりづらい。二世の翻訳官でさえ理解できない表現が随所にあった。たとえば、〝我国過去五十六年間ノ歴史ヲ株守〟という一節があったが、〝株守〟などという言葉は辞書にも出ていない。翻訳は小畑と長谷川に任せていたが、佐藤はしばしば二世の翻訳官たちに日本語の意味を説明する必要に迫られた。

ケーディスは自ら鉛筆を握り、翻訳ができあがるのを横で待っている。最初の翻訳文ができあがってきた。それを見ると、第一条の天皇の地位の条項に「人民ノ主権意思ヨリ承《う》ケ之《これ》ヲ如何《いか》ナル源泉ヨリモ承ケス」とマッカーサー案にあったうち「之ヲ如何ナル」以下が削られている。また第二条の皇室典範《こうしつてんぱん》についても「国会ノ制定スル」という文章が削られていた。マッカーサー案の骨組みはそのままで、体裁を整えているだけだとばかり思っていたケーディスは、重要なポイントに手が加えられていることを知って真っ赤になって怒りだした。白色人種は肌の色にすぐ感情が現れる。

「ミスター・シラス！」

別室の次郎が呼ばれた。

「いったいどういうつもりだ！　ドクター・マツモトのドラフト（草案）は完全にわれわれの草案を無視しているではないか」

そんなことを言われても次郎には返事のしようがない。ケーディスはイラついた声で、

「ドクター・マツモトを呼んできてくれっ！」

と叫んだ。

（これでは先が思いやられるな……）

次郎は松本を呼びに行き、

「やっこさん、いきなり第一条から文句つけてきましたよ」

と告げた。松本は憮然《ぶぜん》とした表情である。次郎の説得にもかかわらず、松本はなかなか部屋を出ようとはしない。

「そんなにぐずぐず言うなら、翻訳を打ち切るなり何なりと勝手にするがいい。打ち切ってもこちらはいっこうにさしつかえない、そう言ってやって下さい」

しかたなく次郎はいったん部屋を出たが、そんなことをケーディスに伝えるのは得策ではない。すぐ部屋に戻ると、

「別の質問があるようです」

とうまく言って松本を引っ張り出すことに成功した。ケーディスを前にしても松本は強気だった。

「第一条で国民の総意に基づくと書いてあるのだから、〝之を如何なる源泉よりも承けず〟などという文章をわざわざ入れる必要はないでしょう！」

と言い放った。

「あなたは、マッカーサー最高司令官の意向を無視するつもりですかっ！」

「自明のことを削除して何が悪いんだねっ！」

滑稽《こっけい》なほど声が上ずっている。白人ではないが、ケーディスに負けないくらい真っ赤になった松本は、目じりを険しく吊り上げ憤然《ふんぜん》として立ちあがった。骨ばった拳《こぶし》が怒りに震えている。部屋には次郎と松本のほかに松本の娘婿でもある三辺謙《さんべけん》秘書官がいたが、日ごろ温厚で怒る姿をほとんど見せない松本の様子に驚きを隠せなかった。そもそも松本は日ごろから血圧が高い。興奮すると身体にさしつかえることにもなりかねない。医師の資格を持つ三辺は気が気ではなかった。

松本は血圧のことなどすっかり念頭から失せている。

(三〇近くも年の離れたケーディスのような若造に四の五の言われてたまるか)

目を血走らせ歯を食いしばりながらケーディスを睨みつけた。

「では、第三条の天皇の国事行為に関するところで我々が"advice and consent"としているのをなぜアドバイスを意味する〝輔弼《ほひつ》〟だけにして〝同意〟のほうを省いたのですか?」

怒り方では松本に勝てないと思ったのか、冷静に戻ったケーディスは立ち上がっている松本にはおかまいなしに質問を続けた。天皇に関する問題であるだけに、いったん腰を浮かせた松本も渋々椅子《いす》に座りなおした。これまでは次郎が通訳していたのだが、松本はもどかしくなり自ら英語で反論をしはじめ、しばらく次郎は傍観者となった。怒りの余韻のせいか松本の声はわずかに震えている。

「もともと天皇は内閣の輔弼がなければどんな行為もできないことになっている。内閣が天皇に対して承認や同意を与えるというような形にはしたくないんだ」

当時の日本人の心の中に占める〝天皇〟というものの特殊な位置づけをアメリカ人に理解させることは困難であり、〝シンボル〟などという表現ですまされてしまうことに、内心忸怩《じくじ》たるものがあったに違いない。そもそも主権在民と天皇の存在を共存させるということは、誰がやったとしても困難な作業であっただろう。

「そもそも〝同意〟などという言葉では天皇への敬意が伝わらん。英語には相手を表す言葉は〝ｙｏｕ〟ひとつしかないかもしれんが、日本には〝ｙｏｕ〟に相当する言葉はたくさんあるんだ」

「それでは日本語は相手によって表現が変わるというのか？」

「もちろんだ」

「そのような言語は民主主義に反する。改めるべきだ」

松本は再び切れた。

「君たちは日本語を変えるつもりで日本に来たのか！　輔弼という言葉は日本には昔からあるんだっ！」

握り締めた拳で机をたたきながら、大声でケーディスを怒鳴りつけた。

（この松本という人物は、自分の国が戦争に負けたんだという事実をどこかに置き忘れているようだ）

ケーディスは目の前で真っ赤になっているちょび髭《ひげ》の男の図太《ずぶと》い神経になかばあきれていた。

輔弼をめぐる議論は延々三〇分近くも続いた。

「まあ、いったん食事にしましょうや」

議論が煮詰まってきているのを見て次郎が割って入った。時計の針は一二時を回っていた。


控え室にもどった松本のところに食事が運ばれてきた。大きなプレートにポーク・ビーンズ（豚肉入り煮豆）の缶詰が載っている。米兵の戦時用非常食だ。実にまずい。松本自身の表現によると、それは〝蠟《ろう》をかむ〟ようなものであったという。

「こんなもの食えるかっ！」

さきほどまでの怒りもあってフォークを机の上に投げ出したが、ややあって気を取り直し、その〝蠟のような〟食事を口に運びはじめた。食糧事情は極端に厳しい。国務大臣とはいえ食べ物を粗末にはできなかった。食事も終わり松本は、ケーディスも自分もお互い興奮しており、議論は後日に譲ったほうがいいと考えた。

(一条ごとに議論しておったのではしまいには殴り合いくらいやらないとも限らない。これでは身体が持たん)

松本は佐藤部長を呼び、

「私はこれから経済閣僚懇談会があるので官邸に引き上げます」

と告げた。

「はあ?」

佐藤は思わず次郎と顔を見合わせた。

「どうせいい加減なものしかできないでしょうから、なるべく最終的なものにならないよう気をつけてください。よろしくお願いします」

松本はそう言い残して部屋を出て行った。経済閣僚懇談会というのが言い訳にすぎないということくらい次郎にはすぐわかった。だが松本のまったく妥協を許さないけんか腰のやり取りを見ていると、このままではケーディスが何らの譲歩も示してこないだろうことは明らかだった。

(しばらく松本さん抜きで進めてケーディスの機嫌を直したほうが得策かもしれん

な)

そう思ってあえて引き止めなかった。松本と秘書の三辺が帰ったのは午後二時半過ぎのこと。佐藤は横で青くなっている。次郎は励ましながら作業を続けた。小畑と長谷川は条文整理の筆記を担当し、佐藤が法律論を一手に引き受け、彼の通訳をシロタ女史と次郎で受け持った。

「三月二日案」を英語に直していくにつれ、それがマッカーサー草案から大幅に修正されていることがしだいに明らかとなり、ケーディスはますます不機嫌になっていった。

前文や基本的人権条項も復活させられた。先述した一院制以外に修正が認められたのは、土地の所有制度に関する事項くらい。松本の最後の抵抗はそのほとんどが徒労に終わったのだ。

(ついてくるんじゃなかった……)

佐藤は後悔していた。松本が軽い調子で自分に同行を求めてきたのが今となっては恨めしかった。次郎は、佐藤の苦しげな表情を横目で見ながら、ケーディスの舌鋒《ぜっぽう》と戦った。もう佐藤が頼れるのは次郎しかいなかった。

午後四時ごろ、三月二日案と説明書両方の英訳が終わり、ケーディスはホイットニーと内容を検討するべくいったん局長室へと引き上げた。

「マツモトに改正作業を担当させている限り民主的な憲法を作るのは不可能です」

部屋に入るなりケーディスは吐き出すようにそう言った。マッカーサーも松本のことは〝鉄の采配《さいはい》を振るう極端な反動家〟と評していた。ケーディスは、今日もほとほと苦労させられた松本を本件から外すべきだと進言した。ホイットニーは同感だとしながらも、

「彼らにマツモトの代わりの大臣を選ばせる時間はない。第二回極東会議は三月七日に開かれる予定だが、ここで憲法問題が採り上げられる可能性だってあるんだ」

「確かに……。ここでマツモトを辞めさせれば幣原内閣が崩壊する可能性だってあるか……」

「できれば三月七日の極東委員会の前にワシントンに憲法草案を届けておき、すでに日本は民主的な憲法の草案を自ら作成していると報告したいものだ」

「三月七日にワシントンということは、時差を考えれば遅くとも日本時間の六日の朝には伝書使に東京を出発させないといけませんね」

「今日は三月四日、しかも三分の二が過ぎている。明日中に何が何でも憲法草案を完

成させるんだ」

結論は出た。午後六時ごろ、ケーディスは次郎を呼び、

「今夜中に日本国憲法の確定草案（ファイナル・ドラフト）を完成することになった。日本側もそれに参加してもらいたい」

と申し入れてきた。

（ファイナル・ドラフトだと……）

まったく予想していなかった展開である。まさかこんなに早急に話を進めることになろうとは次郎さえも思ってはいなかった。

「佐藤君、これは大臣をもう一度呼び戻したほうがいいな」

青ざめている佐藤の顔を見ながら次郎はそう言った。

「ええ」

佐藤はさっそく田園調布にある松本の自宅へと電話したが、当時は電話事情が悪くてどうしてもつながらない。そこでホットラインのある官邸へ電話した。岩倉規夫《いわくらのりお》書記官を呼び出すと、至急松本を呼んできてくれるよう頼んだのだ。依頼を受けた岩倉は、松本の自宅に直接出向いたが大臣はまだ帰宅していなかった。しばらく待ってい

るとようやく午後八時ごろ帰宅したが機嫌がすこぶる悪い。岩倉が事情を話しても、「今行けば倒れてしまう。血圧も高いから、あとは然《しか》るべくやってくれ、よろしく頼むと佐藤君に伝えてくれないか」

の一点張りである。事情を知らない岩倉は、松本の機嫌の悪さにとまどうばかりであった。結局なすすべなく官邸に戻り、木内四郎《きうちしろう》副書記官長に事の次第を報告した。

岩倉と木内は佐藤にこのことを伝えるためGHQ本部へと向かった。佐藤たちの気持ちを考えると、手ぶらで行くのはしのびない。小畑が酒好きであることを知っていたふたりは、差し入れとしてサントリーの角瓶《かくびん》を一本ぶらさげていった。必死に作業している時に酒を持っていくセンスも如何なものかと思うが……。

事情を聞いて次郎は激怒した。

「〝然るべく〟っていったいどういう意味なんだよ。そんな無責任な奴なんか大臣やめてしまえっ！」

佐藤は落胆の色を隠せなかったが、いまさら逃げるわけにはいかない。

これまでは「三月二日案」を英語に翻訳しながら、マッカーサー草案に入っていて松本が削ったものをもとにもどしたり言葉の修正を加えながら英訳する作業を行ってきたわけだが、これからはこの修正版の条項を再検討しながら日本語にしていく作業になっていた。

佐藤たちの緊迫した様子を目の当たりにした木内は恐れをなし、しばらくしてこそこそ帰っていった。

「木内さんどこに行ったんだ？」

次郎はしばらくして木内がいないことに気づき、そう岩倉に尋ねた。

「いや帰られました」

「何？　どいつもこいつも！」

次郎は、松本に続いて木内副書記官長までも敵前逃亡したことがよほど腹に据えかねたのか、後述する「白洲手記」の中で、

〈事ノ重大ナルニ驚キ、松本国務相ノ出席ヲ電話ニテ懇請《こんせい》セルモ病気ノ故ヲ以《もっ》テ拒否、石黒書記官長（著者注：実際には法制局長官）モ出席セス。副書記官長モ来部セルモ責任ノ重大ナルニ驚キタルモノノ如ク十五分程《ほど》ニテ退去ス〉

と厳しい言葉で批判している。

ひとり残された岩倉はというと、どうしてもその場から離れることができなくなった。法律の専門家でもとくに英語ができたわけでもなかったが、事態の深刻さと佐藤たちの鬼気迫る様子が、彼の足を釘付《くぎづ》けにしてしまったのである。こうして彼もこの

部屋で一夜を明かすことになった。

次郎は合理主義者のような外見を持ちながら人一倍感情の量の多い人間である。彼が真の合理主義者なら、外務省官邸でマッカーサー草案を突きつけられた時点か、遅くともジープウェイ・レターが歯牙《しが》にもかけられなかった時点であきらめて、「とりあえずあいつらの好きなものを作らせておいてあとでわれわれの手で改正すればいいさ」と放り出すこともできただろう。しかし彼はその道を取らなかった。戦いでいちばんつらいのは殿《しんがり》をつとめることである。彼はこの戦いの最後の一瞬にまでつきあってやると覚悟を決めていたのである。

翻訳作業は続いた。そもそも天皇がシンボルだというところからして日本語にしにくい。

「白洲さん、シンボルっていうのは何やねん?」

小畑が次郎に大阪弁で尋ねてきた。

「英国じゃイギリス国王は国民のシンボルということになってるから、それを持ってきたんだろう。でも日本語ではどう言えばいいのかな……象徴とでも言えばいいのか……。そうだ、そこにある井上の英和辞典引いてみたら?」

〝井上の英和辞典〟とは、大正四年に井上十吉《いのうえじゅうきち》によって編まれた井上英和大辞典（至誠堂書店）のことである。次郎の言葉に従って小畑は辞書を引いてみた。

「やっぱり白洲さん、シンボルは象徴やね」

新憲法の〝象徴〟という言葉はこうしたやりとりで決まったのだ。次郎は後に、

〈後日学識高き人々がそもそも象徴とは何ぞやと大論戦を展開しておられるたびごとに、私は苦笑を禁じ得なかったことを付け加えておく〉（『吉田茂は泣いている』「諸君！」一九六九年一〇月号）

と書き残している。

ケーディスはしきりに文句を言っていたが、一度だけ猫なで声で佐藤たちにお願いをしてきたことがあった。「第三章国民の権利及び義務」の冒頭にある第一〇条についてであった。

「この条文はホイットニー局長の書かれたもので、ご自身名文だと思っておられる。別の場所でもいいから残してもらえないか」

（おいおい、上司のゴマすりかよ……）

次郎は佐藤と思わず顔を見合わせた。

それからも言葉探しの作業は続いた。部屋の空気は淀《よど》み、寝不足と極度の緊張から

面々の顔色は黒ずんできた。松本はいい印象を持たなかったようだが、うら若いシロタの存在は、ただでさえぴりぴりした会議室の雰囲気を和《なご》ませてくれた。佐藤は後年彼女について、〝頭も鋭敏で私の意のあるところは、そのまま伝えてくれた〟と感謝している。

そして午前二時ごろ、作業がこれまで先送りしていた女性の権利に関わる箇所にさしかかった。シロタの担当箇所である。彼女は女性の権利についてたいへん強い思いを持っており、これまでしばしばケーディスから急進的過ぎるとブレーキを踏まれていたほどであった。

彼女は緊張しながらも成り行きを見守ることにしたが、予想どおり日本側は強く反発してきた。

「われわれも女子の権利を伸ばしていく必要は感じています。だがこの内容は一足飛び過ぎる」

「戦争に負けて日本の男性はただでさえ自信を失っている。これではそれに追い討ちを掛けるだけだ」

すると、いつもはシロタのことをたしなめていたケーディスが、

「ここは日本の事情をよく知っているミス・シロタが、日本女性の立場や気持ちを考

えながら起案したところです。悪いことが書いてあるはずがありません。採用しませんか？」

と提案してきた。

驚いてみな一斉にシロタを見た。まさか通訳であるシロタまでが憲法の条文作成に関与しているとは思っていなかったからだ。シロタのほうもまた、思わぬ援護射撃に信じられない思いでケーディスを見つめていた。

一瞬部屋の中を沈黙が支配した。しばらくあって、それまで黙って様子を見ていた次郎が口を開いた。

「ケーディス大佐のおっしゃるとおりにしましょう。佐藤さんいいよね」

「そうですね。まあ時代の要請でしょう」

こうして男女平等の条項が憲法に盛り込まれることになった。シロタ女史の大金星である。

場が和んだのは一時《いっとき》だった。その後はまた緊張が彼らを包んだ。「第四章国会」に入るころから場所がトランスレーター・プールから大会議室に移され、民政局員約二〇人が新たに参加してきた。コーヒーやサンドイッチも運び込まれたが、次郎は頭に血が上っていて食欲がなく、煙草を立て続けに吸っているせいか喉がいがらっぽくて仕方なかった。周りのものも同様に食欲がないらしく、みなコーヒーやコーラばかり立て続けにがぶ飲みしていた。

（いったいいつ終わるのか……）

と思われたが、通訳をしていたシロタ女史が、次郎がトイレか何かに立ったあとの椅子の上に日本語の文書を置いているのを見つけた。それはマッカーサー草案を日本語に訳して先日閣議で配った外務省訳のメモであった。戻ってきた次郎にシロタは、

「これいいじゃないですか。これを参考に作業を進めましょうよ」

と提案した。

ケーディスは『占領史録』所収のインタビューで、

「会議の初めから彼はそれを持っていながら、翻訳の過程でなにか日本側に有利な訳が出てこないかどうかなどを期待したため、黙っていたのでしょう。私たちはそのために何時間も浪費したのです。（中略）白洲氏はとても抜け目のない人物で、どうしてもこれを提出せざるをえないという瞬間まで黙っていたのです」

と次郎を強く非難している。だがもし次郎の行動が意図的なものであったとしても、日本側からすればそれはしごく当然な作戦であったろう。いずれにせよ、こうして次郎のメモを参考にしながら日本語にしていくことになり、翻訳作業は格段に早く

なった。

「第五章内閣」の終わりごろ夜が明けた。三月五日午前七時、朝食が運ばれてきた。パン、ハム、ベーコン、スクランブルエッグ、果物にケーキまでついている。当時においては夢のような食事だったが、佐藤は後に、

〈まったく味の記憶がない〉

と回想している。作業があらかた終わったのは午前一〇時。次郎はそれまでに途中経過を報告するため何度も官邸との間を往復していたが、この時点で確定していた英文案のほうを一〇部抱えて首相官邸へと向かった。残った佐藤はその後も検討を続け、午後四時半ごろ、一応の完成を見た。

するとホイットニーが部屋に入ってきて、一仕事終えてほっとしているメンバーのひとりひとりと握手しながら感謝の意を表した。満面の笑みを浮かべた嬉しそうな様子に驚いた佐藤は、

〈いったいどこの国の憲法を手伝いにきたのかという錯覚をおこしそうになったくらいである〉

と述懐している。だがそれは当然だろう。ホイットニーにとってこれは〝日本国民

のための憲法〟ではなく、まさに〝自分たちのための憲法〟だったからである。

その後、佐藤はようやく首相官邸にもどった。後にこのときのことを振り返ってこう書き残している。

〈無準備ノ儘《まま》、微力事ニ当リ、然《しか》モ極端ナル時間ノ制約アリテ詳細ニ先方ノ意向ヲ訊《ただ》シ論議ヲ尽《つく》ス余裕ナカリシコト寔《まこと》ニ遺憾《いかん》ニ堪《た》エズ、已《や》ムヲ得ザル事情ニ因《よ》ルモノトハ云《い》へ、此ノ重大責務ヲ満足ニ果《はた》シ得ザリシノ罪顧《かえり》ミテ悚然《しょうぜん》タルモノアリ、深ク頂《こうべ》ヲ垂レテ官邸ニ入ル〉

孤軍奮闘これだけの働きをしてなお〝力足らずで申し訳なかった〟と詫《わ》びているのだ。佐藤の人柄がよく伝わってくる文章だ。

時間を少し戻してこの日の朝――午前一〇時に閣議が開かれ、次郎がもたらした途中経過をもとに議論が行われたが、いまさらアメリカに修正を求められるような状況にないことは明らかだった。松本はこの期に及んでもなお、

「急いでやるからこういうことになるんだ。一度首相が行って話をしてもらいたい」

と引き延ばし交渉を提案したが、幣原首相は黙ったままだった。閣僚の間からは、

「佐藤ひとりに任せておいて、いまさら首相の出馬を求めるとは無責任だ」

というひそひそ声も聞こえてきて松本は孤立した。

午後二時半ごろ、次郎が英文の〝ファイナル・ドラフト〟を一〇部抱えて官邸に戻ってきた。閣議にかける前に、事態が切迫していることを閣僚たちに再確認させる必要がある。

「やっこさんたちは今日中にこの憲法案を受諾するかどうか返事をもらいたいと言ってきています。でなければ今晩、自分たちの手でこれを発表するつもりです。一刻も猶予はできないと感じているようです」

と念を押して回った。午後四時半、再び閣議が開かれた。次郎の持ってきたコピーを一読した松本は顔色を変えた。予想もしていなかった展開である。

「このままではたいへんな事態になる。首相、すぐ引き延ばし交渉をするべきです」

再び引き延ばしを強く主張した。すると幣原首相は突然涙ぐみ、

「もう一日でも延びたらたいへんなことになります。本当にたいへんなことになりますよ」

と絞り出すような声で繰り返した。ほかの閣僚たちも思わずもらい泣きをしてしまい、あとはもう涙の連鎖で悄然《しょうぜん》とした雰囲気に包まれた。松本ももはやこれまでとあきらめ、

「それでは字句等瑣末《さまつ》な点はしばらくおいて、一応先方にしたがいましょう」

と観念した。

吉田もことここに及んでは受け入れるしかないと思っていた。GHQ主導による憲法案を日本政府案として公表するのは実に滑稽なフィクションではあるが、これで民政局の気が済み、公職追放などの動きがいくらかでも収まるのなら、むしろここで〝負けっぷりよく〟飲み込んでしまうしかないと考えていたのだ。

（次郎には悪いが、〝抵抗したんだ〟という事実は残った。今回の憲法は独立を回復した後にわれわれの手で改正すればいい）

おそらくこれは吉田だけでなく、この場にいた閣僚ほとんどの思いでもあったろう。

午後四時三五分過ぎ、先述したとおり佐藤部長がGHQ本部から帰ってきた。松本はひととおり報告を聞くと、

「君ひとりに苦労をかけてしまった。よくやってくれた」

と部長の手を強く握って深く感謝した。申し訳ない思いでいっぱいだった。

午後五時三五分、幣原首相と松本大臣は閣議の決定を報告するために皇居へ参内。

この日天皇は体調が優れなかったため、御座所の奥のほうから接見。松本が経緯を説明した。

「敗北しました」

冒頭そう前置きした。この言葉が松本の気持ちのすべてであった。こみ上げてくる思いで何度も言葉に詰まり、説明を終えたあとに下げた頭もしばらく上げることができなかった。天皇は、「ことここにいたってはやむをえまい」と了承するにはしたが、「皇室典範に関する天皇の留保権を再考できないか」という点と「堂上華族は残せないか」という二点について要望を示した。だが今から民政局に掛け合う時間はない。結局そのままになった。戦前なら考えられないことである。事態はそれほどまでに切迫していたのだ。

ぼろ切れのようになって官邸に戻ってきた佐藤だったが、まだ仕事は終わってはいなかった。できあがった憲法草案は「憲法改正草案要綱」と名づけられたが、これを国民に公表するための法文整備が待っていたのである。作業は首相官邸の内閣書記官長室で行われ、朝六時ごろになってようやく終わった。結局二晩続けての徹夜となった。佐藤はその前の夜もほとんど寝ていない。疲労は極限に近づいていた。

家庭を大事にする佐藤は、夜遅く家に帰ることはあっても帰宅しないことはけっしてなかった。当時は治安状態も悪く、家には妻と娘ふたりだけ。家族はたいへんに心配したと、後に娘の佐藤玖美子《さとうくみこ》は語っている（西修『ドキュメント日本国憲法』）。

家には電話がなく、近所に引かれていた電話も使えなかった。佐藤の家は高円寺にあったが、翌朝、妻は阿佐ケ谷まで行ってようやくつながる電話を探し出し、夫の職場である法制局に電話をかけた。職場の人間もまさか佐藤がＧＨＱで缶詰になっているとは思わない。

「帽子と傘はあるんですけどねえ……」

という返事に心配は募るばかり。佐藤の家は高台にあって高円寺の駅まで見渡せたので、妻は自宅に戻ったあとも玄関を出たり入ったりして駅の方向をなんども眺めたが、結局佐藤はその日も戻ってこなかった。

二日目の徹夜が明けた六日の朝、ようやく佐藤は帰宅することができ、駅から家に向かう坂道を文字どおり這《は》うようにして上っていった。疲労がタールのような粘度《ねんど》で身体を包み、その一部が関節という関節に茶渋《ちゃしぶ》のようにこびりついて身体を動かすたびにきしみ音をたてた。

「あなたっ！」

遠くから妻の声が聞こえてきた。不覚にも涙がこぼれそうになったが、そんな恥ず

かしい顔は見せられないとぐっと腹に力を入れてどうにか堪《こら》えた。坂を下りてきてかばんを持ってくれた彼女に、

「心配かけたな」

と一言だけ言った時、いつになく息が切れている自分に気がついた。体力を奪われたことを実感した。その姿を見れば、万言を費やさずとも、夫がいかにたいへんな仕事をしてきたかは伝わってくる。妻は何も言わず寄り添うようにして玄関をくぐった。

「おかえりなさい！」

子供たちが飛びついてきた。その瞬間、緊張しきっていた神経が芯《しん》からほぐれていくのを実感した。

「お土産があるからな」

久しぶりの幸福感に浸りながらポケットをまさぐった。ＧＨＱで出されたものをそっとしのばせてきたのである。

――角砂糖二個、キャラメル二個、そしてゼリービーンズ……。

珍しいお菓子に子供たちは目を丸くした。

「これなあに？」

当時小学校二年生だった下の娘はゼリービーンズが何かわからず首をかしげている。その様子は抱きしめたくなるほど愛らしかった。その夜佐藤は、頭を枕に落とすとスイッチの切れた機械のような鮮やかさで眠りに落ちた。その後彼は法制局長官、人事院総裁を歴任したが、このときの一連の出来事は終生彼の記憶に刻み込まれた。

こうして閣議を通過した「憲法改正草案要綱」は、昭和二一年（一九四六年）三月六日、「日本政府による憲法改正案」として世間に公表された。間髪をいれずにマッカーサーは同案への支持を表明。完全な〝出来レース〟である。

この事態に怒ったのが極東委員会である。前文を見ただけで彼らは「憲法改正草案要綱」が日本人の書いたものでないことを見抜いた。当然だろう。同委員会は憲法案を審査する機会を与えるよう主張したが、マッカーサーはこれを拒否。結局、強引に押し通した。

注目すべきことは、極東委員会の米国代表であるマッコイ議長さえも憲法問題に関してはマッカーサーを支持していなかったことである。この後、マッカーサーの独断専行はさらに顕著なものとなり米政府とGHQの思惑は大きく乖離《かいり》していくことになる。

フランシス・F・コッポラ監督の大作映画『地獄の黙示録』は、〝カーツ大佐〟という軍人が原住民を支配しているうち彼らの王となり、本国の指示を無視して独立王国を築いてしまうストーリーとなっている。この〝カーツ大佐〟のモデルこそマッカーサーその人だと言われているのだ。実際彼はしきりに「マイ・ジャパン（私の日本）」という言葉を口にした。まさにマッカーサーは〝原住民の王〟を自任していたのである。

松本は要綱が公表された翌日、幣原に国務大臣辞任を申し出た。これ以上の屈辱は耐えられなかった。だがここで松本がやめたらGHQに対する抗議の辞任と受け取られかねない。幣原は必死に慰留《いりゅう》し、松本も渋々翻意《ほんい》したが、心労がたたってか持病の高血圧に加え坐骨神経痛を併発し六日間も寝込んでしまった。

「憲法改正草案要綱」はその後法文化の作業を加えられ、さらに山本有三や横田喜三郎《よこたきさぶろう》らの意見をいれて現代かなづかいを採用することとなり、四月一七日、「憲法改正草案」として英訳とともに発表された。

あくまで大日本帝国憲法の改正という形式をとったため、まず枢密院《すうみついん》に諮詢《しじゅん》して可決され、次に帝国議会へと提出された。昭和二一年八月二四日、衆議院は四二一対八で憲法改正を採択。あくまで天皇制廃止を主張した共産党は、反対票八票のうち六票を投じた。ＧＨＱに強要された憲法であることはすでにどの議員たちも知っている。多くの議員が無念のあまり嗚咽《おえつ》を漏らした。無数の啜《すす》り泣きが議場を粛然《しゅくぜん》とさせたのはこのときが最初で最後ではあるまいか。さらに一〇月六日には貴族院でも可決された。かつて近衛とともに憲法案を作成した佐々木惣一は当時貴族院議員であったが、〝たとえ死刑になっても〟と、賛成の起立を拒んだ。

こうして昭和二一年一一月三日、日本国憲法は公布され、翌年五月三日施行された。

もう一方の敗戦国ドイツが改正憲法を施行したのは日本の二年遅れの昭和二四年五月二四日のこと。当時ドイツは米英仏ソに分割占領されていたことも改正が遅れた要因であろう。その内容は日本国憲法のそれと大きく違っていた。まず第一四六条で、〈ドイツ国民が自由な決断で議決した憲法が施行される日に、その効力を失う〉と、あくまで改正憲法は暫定的なものだということをはっきりうたってある。憲法という言葉を使わず〝ボン基本法〟としたのも同様の趣旨であった。

その後の松本について触れておきたい。民政局は実に陰湿であった。憲法改正作業の途中は手を出さなかったにもかかわらず、一段落したところで間髪いれず、松本に対し公職追放を通告した。その後松本は、〝敗軍の将は兵を談ぜず〟とばかりに憲法改正の件についてはピタリ口をつぐんだが、昭和二九年七月、自由党憲法調査会に呼び出され、ようやく重い口を開いた。

「実は、私は今の憲法になんと書いてあるか見たことがないのです。それほど私は憲法が嫌いになったのです」

そう前置きした彼だったが、その後口をついて出た言葉はやはり怒りと怨みのこもった言葉だった。そのひとつが〝パーソン・オブ・ジ・エンペラー〟問題である。〝アトミック〟発言で次郎が鼻白んだあの日、ホイットニーの口から、

「この憲法を採用しない限り、天皇の身体（パーソン・オブ・ジ・エンペラー）の保障はできない」

という言葉を聞いたと証言したのである。松本ははっきり記憶に残っておりメモまでとったと言っている。

言いたいことは言ったということか。三ヵ月後の一〇月八日、松本は突然この世を去るのである。その日、松本はいつものように弁護士として高等裁判所に出廷していた。異変は閉廷直後に起きた。法廷から廊下に出たとたん昏倒《こんとう》。高血圧からきた脳内出血であった。

「どうしましたっ！」

秘書の三辺謙があわてて駆け寄ったが、すでに口のきけない状態で、目を大きく見開いたままはらはらと涙をこぼした。外は強い雨。動かしてはいけないということで、その場に親族が駆けつけ、午後七時三五分、そのまま裁判所の廊下で絶息するのである。享年七六。裁判所での死は、法曹界の発展に一生を捧げた彼にふさわしいものだと言えなくもないが、一連の憲法改正問題のストレスが彼の寿命を短くしたであろうことは疑うべくもなく、やはり憤死と言っていいのではあるまいか。

松本の誤算は、天皇制に手を加えたら国民に殺されると思ったことに尽きた。宮沢俊義によれば、晩年の松本は次のように述懐していたという。

「おれには日本国民っていうのは実際わからん。本当にものがわかったんだかどうだかわからん。自分は日本国民におこられちゃ困ると思うから、たとえば主権は国民にありなんて、天皇主権を否定するような言葉は使わないようにしたんだ。ところが日本国民は、国民主権なんて言い出したら、もう平気になっちゃって、あの選挙のときでも、だれも気にしない。日本国民は実際どうかしてる」

さて次郎についてである。一連の憲法改正作業の間、次郎はずっと自宅に帰っていなかった。一週間のカンヅメのあと鶴川にもどってきた次郎を見た河上は、彼らしくもない老け込んだ様子に目を疑った。濡れて重たい外套《がいとう》を着込んででもいるかのように身体も重そうで、糸で操られているような歩き方である。次郎は充血して黄色くにごった目で河上の顔を覗き込むと、

「監禁して強姦《ごうかん》されたらアイノコが生まれたイ！」

と吐き捨てるように言った。河上はそれ以上尋ねる気がおこらなくなった。不適切な言葉が使われているが次郎の肉声として敢えて紹介した。

達成感のない疲労ほどむなしいものはない。引きずるような足取りで寝室に向かった。家人は遠巻きに見守るだけで、食事の声をかけるのもはばかられた。次郎は泥のようになって眠った。眠って忘れられるものなら忘れたいとさえ思うその屈辱感が、夢の中でまで彼を苦しめた。正子には苦労したことなど一言も言わなかったが、寝言で、「シャット・アップ！（黙れ）」「ゲット・アウト！（出て行け）」と言うのを耳にすれば、その苦闘がいかに凄まじいものであったかは容易に知れた。

古関彰一《こせきしょういち》は著書『新憲法の誕生』の中で、次郎の役回りについて触れ、〈憲法制定のこの役は結果的には〝汚れ役〟になったのであるから、吉田が表に出ず、白洲にその役を演じさせたことで吉田はその政治生命をどれだけ救われたか計り

知れない。白洲がいなかったとしたら、吉田はその数カ月後に首相となることはなかったかも知れない〉

と述べている。次郎は率先して〝汚れ役〟を買って出た。敵を作ることを恐れていては新しい国づくりなどできないと腹をくってもいた。だからこそ吉田は彼を重用したのだろう。吉田にしても、松本ほどではなかったが天皇神権論に近い考え方を持つ保守的政治家である。それがあまり前面に出てしまうと、GHQが吉田つぶしに出てくることは明らかだった。そういう意味では、次郎が吉田の方針に多少リベラルな内容を加味し、民政局との妥協点を探る努力をしたからこそ、吉田のGHQに対する発言力が維持できたのである。

先にも紹介したが、外務省文書の中に「白洲手記」と名づけられた文書がある。この文書は三月七日付の次のような記述で終わっている。

〈興奮絶頂ニ達シ正午頃ヨリ総司令部モヤット鎮《しず》マリ、助カルコト甚《はなは》ダシ。斯《かく》ノ如《ごと》クシテ、コノ敗戦最露出《さいろしゅつ》ノ憲法案ハ生《うま》ル。「今に見ていろ」ト云《い》フ気持抑へ切レス。ヒソカニ涙ス〉

三月七日は「憲法改正草案要綱」が公表された翌日にあたる。五年後の昭和二六年に初公開されたこの文書は、当事者による生々しい肉声を伝えているという点において、政府の正式文書の中にあって異色の存在であろう。戦後日本の不幸は、この次郎の悔しさを共感できなかったことにあった。

次郎は、憲法調査会の調査内容を批判して次のように述べている。

〈この憲法は占領軍によって強制されたものであると明示すべきであった。歴史上の事実を都合よくごまかしたところで何になる。後年そのごまかしが事実と信じられるような時がくれば、それはほんとに一大事であると同時に重大な罪悪であると考える〉（『プリンシプルのない日本』「諸君」一九六九年九月号）

また第九条に関しては、冷戦の到来とともにアメリカ自ら軍備を迫ってきたことを批判して〝笑えぬ喜劇〟だと語り、同時にまた次のように述べて、教育のもつ功罪を早い時期に指摘した。

〈終戦後、六、七年間小学校の子供にまで軍備を持つことは罪悪だと教えこんだ今日、無防備でいることは自殺行為だなんていったって誰も納得しない。これは占領中の政策にも責任が無いとはいえない。人間の癖でも六、七年かかってついた癖は、そう一年や二年でぬけるものではない。殊更《ことさら》、否応《いやおう》言わさず強制的につけた癖に於《お》いてをやである〉（『雑感―東北一廻り』「新潮」一九五二年九月号）

先述したように吉田は憲法改正論者だったが、軍備増強よりも経済復興を優先するべきだとし、米側の軍備増強圧力に抵抗するため憲法改正を見送った。それはあくまで一時の方便《ほうべん》であり、彼もこれほど長い間憲法がそのままにされるとは思っていなかったに違いない。元ＧＨＱの人々でさえ、憲法が改正可能な時期が到来しても改正されなかったことは奇異な感じがしたと述べている。

次郎は憲法について、現行憲法全体が詳細にわたりすぎているのは米国が法律を大量生産する国だったからであり、〝もっと根本を示すもので充分〟だと語っている。ただあれほどの思いをした彼が一方で以下のように語り、押し付けられたからすべてを否定するというのではなく、「いいものはいいと素直に受け入れるべきだ」と冷静な意見を述べていることは注目に値する。

〈新憲法のプリンシプルは立派なものである。主権のない天皇が象徴とかいう形で残って、法律的には何というのか知らないが政治の機構としては何か中心がアイマイな、前代未聞の憲法が出来上ったが、これも憲法などにはズブの素人の米国の法律家が集ってデッチ上げたものだから無理もない。しかし、そのプリンシプルは実に立派である。マックアーサーが考えたのか幣原総理が発明したのかは別として、戦争放棄の条項などその圧巻である。押しつけられようが、そうでなかろうが、いいものはいいと率直に受け入れるべきではないだろうか〉（『プリンシプルのない日本』「諸君」同前）

## 海賊と儒学者と実業家のＤＮＡ

次郎は雑誌の対談などでしばしば〝白洲家の血なんだ〟という表現を使っている。彼は自分の中に潜む白洲家のＤＮＡを強く自覚していた。

人は次郎の人間性を語るとき、ケンブリッジへの留学経験を強調する傾向があるようだが、人格というものはけっして一代で形成されるものではない。次郎は日ごろ娘の桂子《かつらこ》に、

「武士の娘は人前で泣いたりわめいたりするものではない」

と教えていたというが、明治も末になってから生まれた彼ではあっても、武士の家に生まれたことがその精神的バックボーンになっていたであろうことは容易に想像できる。

白洲次郎がさらに輝きを増す後半生に入る前に、そんな白洲家のルーツについて探ってみることにしたい。

白洲家は、遠く清和天皇にさかのぼる清和源氏の流れを汲んでいる。サントリー白州蒸溜所のある山梨県北杜《ほくと》市白州《はくしゅう》町白須《しらす》が父祖の地とされる場所のひとつだ。このあたりは日本名水百選にも選ばれた尾白川《おじらがわ》が運んできた土砂による扇状地で、花崗岩が風化した白砂による〝洲《す》〟（州）ができたことから〝しらす〟という名がついた。鎌倉時代の歌集『玉葉集《ぎょくようしゅう》』に次のような歌がある。

〈うらとほき　しらすの末のひとつ松　またかげもなくすめる月かな　藤原為家〉

武田系図に信玄以前の傍流の武田《たけだ》貞信《さだのぶ》という人物がおり、彼が〝白須次郎《しらすじろう》〟と名乗ったのが白洲家の始まりと思われる。武田氏滅亡後、家臣は方々《ほうぼう》に散り、天橋立《あまのはしだて》で有名な宮津に逃れた一族は浅井長政配下として丹後加悦《かや》城（現在の京都府与謝郡《よさぐん》加悦町《かやちょう》）の城主におさまった（これはあくまで伝説であり、実際は近くの岩滝周辺に土着していたようである）。だが、それもつかの間、信長の近江小谷城攻めによって一族のほとんどが討死。わずかに二歳の男子が乳母とともに難を逃れ、広野という一族の庇護によって成人した。白洲家のカタバミの家紋は広野家の家紋であり、このときの広野氏の恩を忘れぬために用いたのだ、と言われている。先述した次郎の「カタバミなんて地味な紋、ボクは好きじゃないんだよね」という発言は、そういう意味では実に罰当たりなものなのだ。

時代は下って江戸時代中期の白洲文蔵は、尾張徳川家に仕えて二百石を得、軍学、書道に通じていたが、延宝三年（一六七五年）三月、浪人して江戸へと赴いた。息子の白洲義太夫良幹《よしえだ》（後の文輔）を幕府の学問所である湯島聖堂に通わせ、学問で仕官の道を探ろうとしたところ、良幹は林大学頭《はやしだいがくのかみ》（信篤《のぶあつ》）の門弟として早くに頭角をあらわし、仕官の機会は意外と早く訪れた。

元禄四年（一六九一年）七月二七日、三田《さんだ》藩江戸留守居役・天岡与次右衛門の推挙により、文蔵は儒官、良幹は小姓として、二〇人扶持で三田藩に招聘《しょうへい》されたのである。当時の三田藩主・九鬼副隆《くきすけたか》は、将軍・徳川綱吉《とくがわつなよし》に可愛がられ奥小姓《おくこしょう》（将軍のそば近くに仕える役職）に任じられていた。綱吉が朱子学を奨励したことから、自藩でも一流の儒学者を召し抱えようとしたわけである。

北摂《ほくせつ》の山国三田藩（現在の兵庫県三田市《さんだ》）の九鬼家は、〃九鬼水軍〃の末裔《まつえい》として知られており、家臣のほとんどが元はと言えば海賊である。彼らとの縁組を重ねるうち白洲家にも海賊のＤＮＡが受け継がれていった。

次郎が一族の中でもっとも尊敬していたのが祖父・白洲《しらす》退蔵《たいぞう》である。次郎が生まれた時にはすでに他界していたが、この祖父の存在抜きに〃白洲次郎〃は語れない。ここで白洲退蔵の人生について簡単に触れておくことにしたい。

白洲退蔵は文政一二年（一八二九年）七月一五日、三田藩薬師寺町に生まれた。父親は三田藩儒官の文五郎（鳳陵《ほうりょう》）、母は播州小野藩家老の娘である。大坂の儒学者・篠崎《しのざき》小竹《しょうちく》や江戸の古賀謹一郎《こがきんいちろう》（謹堂《きんどう》）に学び、藩校「造士館《ぞうしかん》」教授に就任している。

退蔵が西洋に接する機会は意外と早く訪れた。嘉永六年（一八五三年）六月三日、アメリカ東インド艦隊司令長官ペリー率いる軍艦四隻が浦賀沖にその姿を現わしたのだ。〝黒船来航〟の話を聞いて血が騒いだ退蔵は、当時ご禁制であった西洋の兵学書をひそかに入手し、西洋兵制の導入を建議している。ペリーが再来航した際には、小《こ》物見役《ものみやく》（斥候《せっこう》）を命じられ、漁民に変装して黒船に近づき情報収集を行った。

三田藩最後の藩主は名君として名高い九鬼隆義《くきたかよし》。隆義は有能な人材を抜擢《ばってき》したが、退蔵はそうして登用された人材のうちのひとりだった。その後は藩儒としての枠を超え、藩重役としての行政手腕を発揮していくこととなる。

当時の藩財政はまさに危機的状態。負債二十数万両に対し藩庫にはわずかに三〇両を余すのみだったという信じがたい話が伝わっている。こうなると、もうどの御用商人も資金を用立ててはくれない。力関係は完全に逆転していた。

そんな中、なんとかこの窮状を打開するべく退蔵は大坂へと赴いた。御用商人の面々に集まってもらう際には、彼らを豪華な料理で饗応《きようおう》するのを常としてきたが、彼はあえてその慣例を破り、鶏鍋《とりなべ》のみという粗餐《そさん》で彼らを迎えた。そのうえで藩主・隆義の節倹《せつけん》を旨《むね》とした生活ぶりや財政再建の為に抜擢された自らの決意を切々と語りかけたところ、その誠実さが満座の商人たちの心を打ち、中には追い貸しに応じてくれる者も出てきたという。

改革は財政改革のみにとどまらない。藩領の境界を明らかにし、神社の一部を校舎として郷学《ごうがく》を設置し、寺社の保有する宮田や寺田の一部を学田とすることで財政基盤を付与した。また村ごとに社倉《しやそう》（凶作に備えた米の備蓄庫）を置き、備蓄した米の半分を毎年肥料代に充《あ》て、肥料を求める村人には米をもって対価とさせた。そうすることで、毎年半分ずつの米が新米と更新され、備蓄米の品質劣化を防ぐことにもつながったのである。

さらに藩の刑法を定め、博打《ばくち》などの軽犯罪については片鬢《びん》（側頭部の髪）や片眉を剃《そ》らせ、溜池開削《ためいけかいさく》や堤防工事といった役務に就かせた。全国的に有名な三田牛も、退蔵が飼育を奨励したことから盛んになったと言われている。

慶応三年（一八六七年）一〇月一四日、大政奉還が行われ、同年一二月九日に宣せられた王政復古の大号令によって維新政府が発足すると、佐幕か倒幕かで藩は大きく揺れた。九鬼家は外様大名ではあったが、九鬼隆義は急進的な佐幕派であった。幕府の瓦解《がかい》に悲憤慷慨《ひふんこうがい》。こうなったら徳川幕府に殉じるのみと、江戸にいて将軍の傍《かたわ》らに留まった。

だが退蔵はこれに猛反対。隆義への忠義の心は不変であったが、退蔵の行政官としての〝カン〟が、ここは九鬼家存続のために譲れないところだと告げていたのだ。大政奉還の四年前、退蔵は自ら京都に赴いて野宮権中納言定功《ののみやごんのちゅうなごんさだいさ》の家臣と接触し、三田藩は朝廷に忠誠を誓うという根回しまでしている。この並外れた政治力と信念を貫く生き方は、次郎の吉田に対する献身に重なる部分が多い。

退蔵は短時日のうちに藩論を倒幕で統一することに成功。あとは藩主・隆義ひとり。幕府に見切りをつけて一刻も早く三田へ帰藩するべきであることを再三にわたって手紙に書いたが、いっこうに聞き入れられない。書状でのやり取りはもはや隔靴《かっか》掻《そう》痒《よう》だと、退蔵は慶応三年一一月二八日、三田を発って江戸へと向かった。

江戸に着くやいなや隆義と面会。情にほだされて幕府の瓦解と運命をともにすれば、家臣団や藩民がいかに困窮するかということを、涙ながらに切々と訴えた。ここでようやく隆義も目が覚めた。退蔵の諫言《かんげん》は現状を正確に把握したものであり、何よりその言葉は真に忠義の心から出ているものだということを痛感。その夜のうちに幕府に帰藩の意向を伝えて江戸を離れた。こうして三田藩は、ぎりぎりのところで賊軍のそしりを免れたのである。

明治元年（一八六八年）、退蔵は大参事《だいさんじ》（従来の家老職に相当）に就任。新政府における九鬼家の地位向上のためにいろいろな建策を行った。明治二年、隆義を通じて廃刀令の採用を政府に上申《じょうしん》したのもその一つ。このため退蔵は京都で命を狙われたりもしたという。実際に廃刀令が公布されたのはその七年後のこと。ここにも彼の先進性が表れている。

三田藩出身の川本幸民《かわもとこうみん》という蘭学者がいた。我が国洋学の最高峰、幕府「蕃書調所《ばんしょしらべしょ》」教授方を務めた幸民は、ビールの醸造、マッチの製作にわが国で初めて成功した人物であり、〝化学〟という言葉の生みの親としても知られている。

実はこの人物を通じて、三田藩は慶應義塾創立者の福沢諭吉とたいへん深い関係を結ぶことになるのだ。幸民は、福沢の師である緒方洪庵《おがたこうあん》とは兄弟弟子。師の洪庵も一目置いていたこの先達《せんだつ》に、福沢はしばしば学問上の相談を寄せた。そしてその幸民から、九鬼隆義や白洲退蔵を紹介されたというわけだった。福沢は知り合ってまもなく、退蔵の学識と政治手腕にぞっこん惚れ込んでいる。

退蔵による殖産興業《しょくさんこうぎょう》のなかでも、福沢が非常に感心したのが三田米を使った醸造事業である。退蔵は、当時から品質がいいことで有名だった三田米を用いて醸造事業を興す計画を立案。醸造家と協力して「牡丹正宗《ぼたんまさむね》」という銘柄を作った。この酒が高い評判をとったことで、三田米の価値も上がり、藩庫は大いにうるおった。福沢はこの成功事例を、自らが設立した「時事新報」という新聞を通じて世の中に紹介している。

一方の退蔵も、福沢から欧米の最新情報を吸収していった。白洲家の家風は、儒学者一家としてのそれであるとともに、福沢に吹き込まれた欧米流自由主義思想の影響を強く受けている。

明治四年七月一四日、廃藩置県により九鬼隆義は三田藩知事の任を解かれた。翌年一一月、隆義は神戸花隈《はなくま》四ノ宮通りに宜春園《ぎしゅんえん》と名付けた屋敷を購入し、一家を挙げて父祖の地三田を離れている。旧家臣団もほとんどは殿様について神戸に移住し、退蔵もまた、隆義の屋敷近くに居を構えた。

九鬼隆義は福沢のよきパトロンでもあった。慶應義塾が財政的に立ち行かなくなって解散もやむなしという状況に陥った際、金銭面でこれを支えたのが九鬼家であった。

一方退蔵は、ミッションスクールの創立に協力している。修道会の「キリスト教唱歌教授所」の教室として、当時北長狭《きたながさ》通にあった自分の屋敷の一部を提供した。その後、米国伝道会からの五二〇〇ドルに隆義や退蔵ら有志による八〇〇ドルを加え、明治八年一〇月一二日、諏訪山下の山本通に通称「神戸ホーム」が開校。これが、関西お嬢様学校の代表格である現在の神戸女学院になるのである。その関係で次郎の姉妹は、三子だけは小林《おばやし》聖心だったが、枝子も福子も神戸女学院を卒業している。

維新後、退蔵は松山の大参事や民部省への出仕を打診されたが、福沢の助言もあってこれに応じなかった。福沢の役人嫌いは有名である。常々商業こそこれからの国を支えていく道だと強く主張していたが、退蔵もこれに共鳴していたのだ。

退蔵たちは明治五年、隆義を筆頭とする三田藩旧藩士一六名で神戸栄町通五丁目に〝志摩三商会〟なる貿易会社を設立。父祖の地〝志摩〟と〝三田《さんだ》〟をかけた名前だった。

当初退蔵が社長としてきりもりしていたが、事業が軌道に乗ると経営から離れ、明治一三年、兵庫県初代県会議員となっている。

明治一五年、福沢の推薦によって退蔵は横浜正金銀行（現在の三菱東京ＵＦＪ銀行）取締役として経営陣に加わることとなった。横浜正金銀行の創立には福沢が深く関わっていたのだ。最初の頭取は中村道太《なかむらみちた》、副頭取が小泉信吉《こいずみのぶきち》（後に慶應義塾塾長、息子が同じく塾長になった小泉信三《しんぞう》）。だがこのころの同行の経営はきわめて不安定なものだった。

退蔵は横浜正金銀行取締役就任の翌年頭取に就任するが、銀行内部のごたごたに嫌気がさし、時の大蔵省銀行局長と衝突してすぐに退任。その後、官の道に転身した。

遅すぎる転身ではあったが、頭取退任の直後に岐阜県の官吏となり明治一九年には大書記官に就任している。

さすがの福沢も、これ以上退蔵を民間に引き戻そうとはしなかった。ただその後も徳を慕い、岐阜方面に行く弟子には退蔵のところへ顔を出すよう勧めたほか、福沢自身、明治一九年三月に京都から名古屋に向かった際、わざわざ岐阜に立ち寄って退蔵のところに一泊したりしている。

さて九鬼隆義は、明治一五年（一八八二年）、宮内省準奏御用掛華族局勤務のため東京へと赴いた。明治一九年からは吹上・浜離御苑に勤務している。しばらくすると退蔵も岐阜県大書記官の職を投げ打って影法師のように上京し、芝へと移り住んだ。

九鬼隆義は志摩三商会本来の事業以外にも幅広く事業に進出していた。神戸で牧場を開いたり、新潟の石油採掘事業や精油事業にも着手したが、拙速すぎる事業拡大はそのほとんどを失敗に終わらせ、結局不動産管理業だけが残った。

福沢も自分が焚《た》きつけただけに最初は応援していたが、隆義の気の多さにあきれてしまっていた。明治二二年ごろ、製塩事業にまで手を出そうとしていると聞いて退蔵に手紙を送り、その中で〝旧痾《きゆうあ》〟（古い病気）と厳しい表現を使い〈また幾千幾万の損《そん》亡《もう》（損失）なるべし〉と書いている。

明治二三年、初めて帝国議会が開設されることになり、わが国最初の総選挙が行われるにあたって、立候補してほしいと旧三田藩の有志が陳情に来たりもしたが、退蔵はきっぱり断り、志摩三商会の後始末と九鬼家の財政立て直しに全力を投入した。

なんとか危機を乗り切ろうとしていた折、思わぬ災厄《さいやく》が降りかかる。

明治二二年から二四年にかけてはインフルエンザが世界的に流行した年であった。明治二三年一二月二六日、福沢もインフルエンザに罹《かか》り、みるまに福沢家の家族全員に感染。下男、下女も床に伏してしまったため食事の準備をする者がいなくなるという状況に陥る。福沢が寝込んだのは六日間だけだったが、体力の回復にはほぼ一ヵ月を要したという。

このころ九鬼隆義は神戸に戻っていたが、たまたま上京した際、しばらく福沢宅に滞在したのがいけなかった。神戸に戻るや否やすぐ床に伏せてしまい、明治二四年一月二四日、このときのインフルエンザがもとでこの世を去る（福沢の書簡では二二日となっているが、隆義の墓碑には一月二四日没とある）。

九鬼隆義逝去の知らせを受けた福沢が芝の白洲邸を訪れ、退蔵にお悔やみを伝えた。退蔵は福沢の来訪を大層喜んだが、実はその退蔵も一月三日から床に伏せたきりとなっていたのである。いったん快方に向かったものの、よほど体力が落ちていたのだろう。夏の暑さがこたえたと見え、同じ年の九月一日に再び病臥《びょうが》。数日後には危篤《きとく》に陥った。

知らせを受けた福沢は、門人の小幡篤次郎《おばたとくじろう》（交詢社を設立、小泉信吉の次の慶應義塾塾長）とともに病床へと急いだ。遅れて同じく福沢門下で三田《さんだ》出身の九鬼隆一《くきりゅういち》男爵（帝国博物館館長、哲学者・九鬼周造《くきしゅうぞう》の父）も静養先の伊香保《いかほ》温泉から駆けつけたが、明治二四年九月一四日、白洲退蔵は主君のあとを追うようにして黄泉《よみ》の国へと旅立った。死後従五位に叙せられている。

福沢は退蔵の死後も白洲家のことに気を配り、同志社を卒業した退蔵の三男・長平を、福沢と親しかった森村組で採用してもらえるよう依頼したりもしている。その後も白洲家と慶應人脈とのつながりは長く続いた。

白洲退蔵の長男が、次郎の父・文平である。

退蔵は安政五年（一八五八年）二月一六日に三田藩家老職・澤野栄太郎の娘・峯と結婚したが、すぐに離別したらしい。後妻は三田藩の重臣・武藤安右衛門の娘であったが、男子を産んですぐ二五歳の若さで死去。これが文平であった。その後退蔵は一九歳年下の女性と再婚。したがって文平の弟たちは異母弟ということになる。

白洲文平は数多くの伝説を残している。次郎は、謹厳実直な父・退蔵に対する反発があったのだろうと推測しているが、実際、破天荒な人生を歩んだ人物であった。彼の場合、儒学者より海賊のＤＮＡのほうがより強く作用していたのかもしれない。間違いなく次郎はこの父・文平の血を濃厚に受け継いでいた。

幼いころの記録はほとんど残されていないが、退蔵は、ミス・トーカッというアメリカ人女性を文平の家庭教師にしていたという。

明治一五年一一月、築地大学校（明治学院の前身）に入学。一三歳のときのことである。〝秀麗瀟洒《しゅうれいしょうしゃ》たる美丈夫《びじょうふ》〟であったと伝えられる。父親の退蔵が保証人となり、明治一五年一一月付で築地大学校校長ジョン・Ｃ・バラ宛に提出された文平の入学願が、今も明治学院歴史資料館に保管されている。この学校には優秀な学生が集まり、数学も英語で教えていた。

明治一八年、学内に野球部が作られたが、文平はその初代主将である。野球が日本に伝わった経緯については諸説あるが、明治六年、東京・神田一ツ橋の開成学校（現在の東大）で教鞭《きょうべん》をとっていたアメリカ人教師ホーレス・ウィルソンが生徒たちに教えたのが最初だとされている。この最新流行のスポーツに、新しい物好きの白洲家の血が騒いだことは想像に難くない。日本人として最初にキャッチャー用のミットを用い、〝白洲のスマートキャッチ〟と呼ばれた美技を連発した。

文平の弟の純平と長平もその後明治学院に在籍。兄に負けない名選手として鳴らした。ちなみに純平は晩年、毎日新聞選抜野球大会委員長まで務めている。長平も退蔵の死後同志社に移って同校野球部を隆盛に導き、アメリカの野球雑誌に顔写真入りで紹介されたほどだった。後年、次郎が神戸一中で野球部に入ったのも、文平や叔父たちから野球の面白さを聞かされていたからに違いない。

明治二〇年六月二九日の卒業式は、京橋区木挽町《こびきちょう》厚生館において内外の来賓《らいひん》を多数招き盛大に行われた。このとき、文平は総代として英語で卒業演説を行い、大いに学院の面目《めんもく》を施した。福沢は退蔵から、文平が晴れの舞台に立つことを事前に聞いていたらしく、その活躍を新聞記事にしてやれず申し訳ないと手紙でわびている。この少し前、時事新報は発行部数五〇〇〇部を数えるわが国最大の新聞となっていたが、明治一八年のイギリスの朝鮮巨文島《コムン》占拠事件に関する社説が政府批判だということで発行停止になっていたのだ。あきらめきれない福沢は、発行停止が解けたら掲載したいので内々に演説の原稿だけでも送っておいてほしいとまで書いている。

文平はその後ハーバード大学に留学。ドイツのボン大学にも通った。

当時ボン大学に通っていた留学仲間が近衛篤麿《あつまろ》(近衛文麿の父。学習院院長、貴族院議長、枢密顧問官)、新渡戸稲造《にとべいなぞう》、そして樺山愛輔《かばやまあいすけ》である。新渡戸がボン大学からベルリン大学に移ったことから、近衛らとベルリンに行って写した写真が残っている。明治二一年頃のものと思われる。

留学中、文平は池田成彬《いけだしげあき》と出会い友情を温めた。池田は福沢門下の逸材である。後年池田は、三井合名常務理事、日銀総裁、大蔵大臣、枢密顧問官などを歴任し、財界の重鎮となる。吉田茂も心酔し、何事につけ相談をもちかけた。

明治二四年、退蔵がインフルエンザで床に伏したという知らせを受け、文平は急遽《きゅうきょ》帰国。その死を看取った。退蔵が生前親しくしていた寺島宗則《てらしまむねのり》伯爵に葬式の日程を知らせる文平の手紙が、今も国立国会図書館に残されている。

帰国後文平は三井銀行に入行。おそらく友人の池田と同時期か相前後して入行したものと思われる。池田が早くに頭角を現した一方で、文平は銀行員の生活が肌に合わず、

「算盤《そろばん》なんかはじいていては世間が見えなくなる」

と言ってすぐに退社してしまった。次の職場として選んだのが、当時隆盛を極めていた繊維業界の大阪紡績会社（現在の東洋紡）。文平の姉・駒子（退蔵の長女）が嫁いでいた服部俊一《はっとりしゅんいち》が同社の取締役をしていた縁であった。しかしここも長くは続かない。

上役の奥さんが何かの拍子に、

「お前さんがたは……」

と口にしたのに腹を立て、

「家老の息子に向かってお前さんとは何事か！」

と、憤然と辞表を叩き付けた。

勤め人の生活に見切りをつけた彼は、一念発起して貿易会社『白洲商店』を神戸市

栄町通二の一〇に設立する。綿花を輸入する商社であった。大阪紡績時代に吸収したノウハウをもとに自分の力でやってみようと考えたのだ。大阪紡績は明治一五年、東京綿商社（鐘淵紡績・現クラシエ）が明治二〇年に設立されるなど、当時は綿花貿易が急拡大していた時期でもあった。

大阪三品《さんぴん》取引所の鑑札を取り、逐次打電されてくるアメリカの綿産地の天候情報をもとに自ら作況の統計を作りながら相場を予測。収益チャンスだと見ると大胆に相場を張りながら短期間で大きな利潤を生んでいった。おかげで業績は急拡大。一躍阪神間にその名をとどろかせた。まだ次郎が生まれる前のことである。もっとも商売の仕方が型破りだったため同業者からは煙たがられ、綿業クラブにも属していなかったようだ。しかしこのことが吉と転じ、信用売りをしてもらわなかったために大きな失敗もなかった。

退蔵が死去した当時、それまでの文平たちの留学費など莫大《ばくだい》な仕送りが家計を圧迫し白洲家は財政的に厳しい状況に陥っていたが、文平の成功で一気に盛り返した。単なるお坊っちゃまではなくその商才は見事である。宣伝代わりに『二十世紀の商人白洲文平』と大書した番傘《ばんがさ》をさして街中を闊歩《かっぽ》し、周囲からは『白洲将軍』と呼ばれた。

弟の長平は森村組を退職後エール大学に留学し、帰国後は藤本銀行神戸支店に勤めていたが、その長平もやがて経営に加わった。彼には神戸市栄町の店を任せ、自分は大阪市中之島へと進出する。

次郎以上に文平のエピソードは豪快である。

あり余る金で美術品を次々に購入。自慢の逸品《いっぴん》を一堂に集め、明治二七年（一八九四年）、当時アーネスト・フェノロサが東洋部長をしていたボストン美術館で日本画と彫金の〝白洲文平コレクション〟展覧会を開催した。

フェノロサの名前が入ったこのときのカタログが現存している。あまりに大量ですべては展示できないと断りが入っているほどで、日本画五七点、彫金二八〇点に及び、中には尾張徳川家から伝わったとされる雪舟の屏風絵、能阿弥《のうあみ》の布袋図《ほていず》や狩野永徳《かのうえいとく》の達磨図《だるまず》など、好事家垂涎《こうずかすいぜん》の品が含まれていた。

大森実は『戦後秘史』の中で、文平はひどい日本人嫌いであったとして、宴席の芸者に襖《ふすま》の外で三味線を弾かせたとか、終電車に酔っ払いが相乗りするのを嫌い電車一台を借り切ったとかいった逸話を紹介している。だが一方で、東郷艦隊がロシアのバルチック艦隊を破ったとの報せに、お祝いと称して電車に乗り合わせた乗客全員を神戸のビアホールに連れていって大盤振る舞いしたという話も残っているから、愛国者ではあったようだ。

いつも英国の葉巻を吸い、冬のさなかに友人が来た時などは庭に連れ出して、二俵もの炭を燃やして暖を取りながらウィスキーをすすめるなんて粋なことをしたという。

〝家を作ること〟が道楽だったというからあきれてしまう。それも半端な家ではない。豪邸を次々に作っていき、それらは〝白洲屋敷〟と呼ばれた。建てた家も、全部が全部住んだわけではない。完成してしまうと興味を失い、じきに次の建築にかかるといったふうであった。子供がプラモデルを作るような感覚だったのだろう。壁など下塗りのまま放っておかれた家もあったそうだ。金持ちの考えることは、まったく理解の外である。

文平の建てる家は日本建築と決まっていた。次郎が洋式の生活に慣れている文平のためを思い、靴を脱がないですむ洋館を建てるよう勧めると、

「外国は道がとてもきれいだから靴のまま上がったって汚くない。だけど日本みたいな汚い道を歩いてきてそのまま上がられたんじゃたまらない。だから日本建築がいいんだ」

と答えた。ところがなんと当の文平本人は、平気で靴のまま畳の上を歩いていた。周囲が〝汚いじゃないですか〟と文句を言っても、

「俺は別だ」

と言ってすましていたという。次郎はこれが本当の傍若無人《ぼうじゃくぶじん》というものだとし、〈僕はよく傍若無人だと言われるが、僕の死んだおやじに比べれば、傍若無人なんておよそ縁が遠いと思う〉（『日曜日の食卓にて』「文藝春秋」一九五一年九月号）と胸を張っている。どっちもどっちだと思うが、〝ボクのチョットつむじ曲がりなところはオヤジ譲りである〟と自分で認めてもいた。

一年中普請《ふしん》をしていたわけだから、自宅に腕のいい大工を住まわせていた。ミヨシさんというその大工は、元はと言えば京都御所御用の宮大工だったのだが、御所の修理中に酒を飲んで失敗し首になったらしい。腕だけでなく、文平はこの経歴が気に入ったのであろう。

次郎はこのミヨシさんから多くのことを学んだ。晩年、次郎が机や椅子などを自分で作るのを趣味にしていたのは、このミヨシさんから〝モノを作る喜び〟を教えてもらったからに違いない。

飛ぶ鳥を落とす勢いの文平だったが、先述したように金融恐慌のあおりで破産の憂《う》

き目に遭う。このため次郎が帰国することになったいきさつについてはすでに触れた。一緒に働いていた弟の長平が、破産の二年後の昭和五年（一九三〇年）一二月一三日に五八歳の若さで亡くなるのも心労が続いたからであろう。

広島にも広大な地所を持っていたが、やけくそになった文平は橋の上から権利証をばらまいたという嘘か誠かわからないような話も伝わっている。

文平はその後、阿蘇山の麓《ふもと》の大分県直入《なおいり》郡荻《おぎ》村（今の竹田市荻町）に隠居して百姓の真似事《まねごと》を始めた。どうして九州に行ったのかはよくわからない。長女の枝子の娘が九州に行って医師と結婚していたが、それとは関係がなさそうだ。

荻村に細長い四階建ての家を建てて住んだが、そこは痩せても枯れても家道楽だった文平のこと、ただの家ではない。一階が風呂場で阿蘇の温泉が引かれており、二階が居間、三階が寝室、四階は屋根裏部屋となっていた。正子によると「掘っ立て小屋」、麻生和子によると「煙突みたいな家」ということになるようだが、当時の建築雑誌に設計図面が掲載されたほどの立派な別荘だった。

次郎に言わせると〝ニコチンとアルコールの中毒患者〟だったという文平は、朝の寝覚めがはなはだよくない。家政婦代わりをお願いしていた近所の農家のおばさんに抱えられるようにして一階の湯船に入れてもらい、口に葉巻をくわえさせてもらって火をつけてもらいウィスキーのグラスを渡されてしばらくすると、温泉とアルコールとニコチンの力で、その日一日がようやく始まるという生活だった。狩猟が好きだったから、唯一の同居人である犬を連れて毎日鉄砲片手に山を歩いていたという。今時の破産者の悲惨とはかけはなれた実に優雅な生活だ。

死ぬ一五年ほど前から、酒の飲みすぎもあってか腎臓炎を患っていたが、昭和一〇年一〇月二三日、文平は荻村の家で息を引き取った。享年六六。彼の死は、いつもの通《かよ》いのおばさんが来るまで誰にも気づかれなかったという。

寝室のベッドの下には棺桶《かんおけ》が用意されていた。文平は身体が大きかったので、自分にあう大きさの棺桶を探すのに苦労するだろうからという心配りであった。

青年期は海外に雄飛し、壮年期は事業で一世を風靡《ふうび》し、一敗地にまみれはしたものの晩年は悠々自適《ゆうゆうじてき》の時間をすごして、誰にも迷惑をかけずに世を去っていった。実に羨《うらや》ましい人生である。彼に無相院心海釣月居士という戒名をつけた心月院の住職もまた、白洲文平の人となりを見事に表現している。

次郎は父・文平の死を出張先のロンドンで知った。思うがままに生きた羨ましいほどの人生であってみれば、ことさらに悲しいという感情は湧いてこず、生前文平が喜んでくれたりほめてくれたことばかりが思い出された。

その後も彼の心の片隅にはいつも父・文平がいた。次郎の「ジープウェイ・レター」はそのことを示すように、次のような言葉で締めくくられている。

〈こんな愚痴《ぐち》を書いて紙不足を助長させているのは承知しておりますが、亡きわが父にも責任の一端のある私の欠点をお許しいただけるものと思っております〉

男親というのは、母親ほどには子供に愛されない損な役回りであるが、それでいて子供は父親の背中を見て育つものである。国の行く末を懸《か》けた大一番を戦っている時、ふと、

（そう言えば、親父によくだらだらと長い説教をくらったっけ……）

と文平のことが頭を掠《かす》めたというところに、白洲次郎という男の人間臭さが感じられる。

（下巻につづく）

|著者| 北 康利　昭和35年12月24日名古屋市生まれ、東京大学法学部卒業後、富士銀行入行。資産証券化の専門家として富士証券投資戦略部長、みずほ証券財務開発部長等を歴任。平成20年6月末でみずほ証券退職。本格的に作家活動に入る。関西学院大学非常勤講師。第14回山本七平賞を受賞した『白洲次郎 占領を背負った男』『福沢諭吉 国を支えて国を頼らず』(以上、講談社)、『同行二人 松下幸之助と歩む旅』(PHP研究所)、『陰徳を積む 銀行王・安田善次郎伝』(新潮社)、『日本を創った男たち はじめにまず〝志〟ありき』(致知出版社) など著書多数。

白洲《しらす》次郎《じろう》　占領《せんりょう》を背負《せお》った男《おとこ》(上)

北《きた》 康利《やすとし》



2008年12月12日第１刷発行
2024年11月15日第15刷発行

発行者――篠木和久
発行所――株式会社　講談社
東京都文京区音羽2-12-21　〒112-8001
電話 出版 (03) 5395-3510
　　販売 (03) 5395-5817
　　業務 (03) 5395-3615

Printed in Japan

講談社文庫
定価はカバーに
表示してあります

KODANSHA

デザイン―菊地信義
本文データ制作―講談社デジタル製作
印刷―――株式会社KPSプロダクツ
製本―――株式会社国宝社



ISBN978-4-06-276219-9

# 講談社文庫刊行の辞

二十一世紀の到来を目睫に望みながら、われわれはいま、人類史上かつて例を見ない巨大な転換期をむかえようとしている。

世界も、日本も、激動の予兆に対する期待とおののきを内に蔵して、未知の時代に歩み入ろうとしている。このときにあたり、創業の人野間清治の「ナショナル・エデュケイター」への志を現代に甦らせようと意図して、われわれはここに古今の文芸作品はいうまでもなく、ひろく人文・社会・自然の諸科学から東西の名著を網羅する、新しい綜合文庫の発刊を決意した。

激動の転換期はまた断絶の時代である。われわれは戦後二十五年間の出版文化のありかたへの深い反省をこめて、この断絶の時代にあえて人間的な持続を求めようとする。いたずらに浮薄な商業主義のあだ花を追い求めることなく、長期にわたって良書に生命をあたえようとつとめるところにしか、今後の出版文化の真の繁栄はあり得ないと信じるからである。

同時にわれわれはこの綜合文庫の刊行を通じて、人文・社会・自然の諸科学が、結局人間の学にほかならないことを立証しようと願っている。かつて知識とは、「汝自身を知る」ことにつきていた。現代社会の瑣末な情報の氾濫のなかから、力強い知識の源泉を掘り起し、技術文明のただなかに、生きた人間の姿を復活させること。それこそわれわれの切なる希求である。

われわれは権威に盲従せず、俗流に媚びることなく、渾然一体となって日本の「草の根」をかたちづくる若く新しい世代の人々に、心をこめてこの新しい綜合文庫をおくり届けたい。それは知識の泉であるとともに感受性のふるさとであり、もっとも有機的に組織され、社会に開かれた万人のための大学をめざしている。大方の支援と協力を衷心より切望してやまない。

一九七一年七月

野間省一